# O CÉREBRO APRENDIZ

## NEUROPLASTICIDADE E EDUCAÇÃO

# O CÉREBRO APRENDIZ

## NEUROPLASTICIDADE E EDUCAÇÃO

**ROBERTO LENT**

Professor Titular do Instituto de Ciências Biomédicas da
Universidade Federal do Rio de Janeiro – UFRJ
e Pesquisador do Instituto D'Or de Pesquisa e Ensino

EDITORA ATHENEU

| | |
|---|---|
| São Paulo — | Rua Jesuíno Pascoal, 30<br>Tel.: (11) 2858-8750<br>Fax: (11) 2858-8766<br>E-mail: atheneu@atheneu.com.br |
| Rio de Janeiro — | Rua Bambina, 74<br>Tel.: (21)3094-1295<br>Fax: (21)3094-1284<br>E-mail: atheneu@atheneu.com.br |

CAPA: Equipe Atheneu

ILUSTRADOR: Julio Xerfan

PRODUÇÃO EDITORIAL/DIAGRAMAÇÃO: Rosane Guedes

**CIP-BRASIL. CATALOGAÇÃO NA PUBLICAÇÃO**
**SINDICATO NACIONAL DOS EDITORES DE LIVROS, RJ**

L586c

Lent, Roberto
    O cérebro aprendiz : neuroplasticidade e educação / Roberto Lent ; ilustração
Julio Xerfan. - 1. ed. - Rio de Janeiro : Atheneu, 2019.

    Inclui bibliografia
    ISBN 978-85-388-0937-1

    1. Neurociência cognitiva. 2. Neuroplasticidade. 3. Aprendizagem. I. Xerfan, Julio.
II. Título.

| 18-53699 | CDD:612.82 |
|---|---|
| | CDU:616.8:37 |

Leandra Felix da Cruz - Bibliotecária - CRB-7/6135

07/11/2018    13/11/2018

LENT, R.
O Cérebro Aprendiz – Neuroplasticidade e Educação

©Direitos reservados à EDITORA ATHENEU – São Paulo, Rio de Janeiro, 2019.

Para os professores
do Brasil,
esses heróis.

# APRESENTAÇÃO

Roberto Lent é, há quase cinquenta anos, um participante ativo do cenário acadêmico brasileiro, tendo produzido conhecimento em temas como Neuroembriologia e Neuroplasticidade. Médico formado em 1972 pela Universidade Federal do Rio de Janeiro (UFRJ), Mestre e Doutor em Ciências Biológicas pelo Instituto de Biofísica (1973 e 1978, respectivamente), fez pós-doutorado no Massachusetts Institute of Technology (MIT). Professor Titular da própria UFRJ desde 1975, Roberto também já atuou como diretor do Instituto de Ciências Biomédicas, por dois mandatos (2007-2014). Além de membro titular da Academia Brasileira de Ciências, foi presidente do Conselho Deliberativo do Instituto Ciência Hoje e, mais recentemente, Coordenador da Rede Nacional de Ciência para Educação.

Acompanhamos o trabalho do Roberto já há pouco mais de seis anos – poucos quando comparados à duração prolífica da sua carreira científica. Junto a ele temos desenvolvido projetos que exploram diversos mecanismos da plasticidade neural – desde o nível celular até a plasticidade de longa distância. Muito mais do que apenas descobrir aquilo que nunca antes foi observado, Roberto sempre nos inspirou a pensar além, considerar o significado científico e pensar na real integração da neurociência básica com as necessidades da sociedade – assim como prega Donald Stokes, conforme relatado no primeiro capítulo deste livro.

Biomédicos de formação, o nosso caminho natural sempre foi primeiro enxergar a aplicação da pesquisa básica para a saúde. Entretanto, livros como este que se tem em mãos agora convencem-nos da possibilidade de integrar as diversas áreas do conhecimento, para além da saúde. Nós, doutorandos, no início do século XXI, temos o privilégio de ver nascerem (e renascerem) iniciativas fundamentais para o avanço científico e para o aprimoramento da humanidade, que de tempos em tempos parecem esquecidas. Uma dessas iniciativas trata da integração da ciência com a educação – ou, melhor, a aplicação de todo o conhecimento científico básico e sua rigorosa metodologia para desenvolver ferramentas, baseadas em evidências sólidas, ao ensino. No caso particular deste livro, as evidências vêm da neurociência, mas o argumento se aplica de maneira geral a outras áreas do conhecimento. Mesmo no campo da saúde – que foi a área original dessa integração entre ciência básica e necessidade social – ainda existe convencimento a se fazer e aspectos a serem melhorados. É então com prazer que vemos, através da Rede Nacional de Ciência para Educação, o Brasil figurar na vanguarda desse movimento,

VIII  APRESENTAÇÃO

junto a outros centros de importância no cenário acadêmico mundial, como Estados Unidos, Austrália e França.

Este livro é uma tentativa bem-sucedida de introduzir a importância da neurociência para a educação, sob um equilíbrio delicado: sem muitos jargões e termos rebuscados, mas também sem perder o rigor científico. A proposta é esmiuçar o conceito de neuroplasticidade – a capacidade que o sistema nervoso central tem de se modificar, em seus diversos níveis. Ao longo do livro, vai-se desde as alterações moleculares que ocorrem na fenda sináptica, passando por alterações anatômicas, mais macroscópicas, e chegando até as modificações sociais: por exemplo, como os padrões de conectividade cerebral se alteram quando dois indivíduos interagem. Roberto explica, com sucesso, conceitos da fisiologia do sistema nervoso, nos atualiza com tecnologias e pesquisas de ponta, pela ótica de quem acompanhou o florescer da área, e indica a possibilidade de se integrar tudo isso sob a bandeira da neuroeducação.

Uma atenção especial deve ser dedicada ao Capítulo 8 (*Cérebros Interativos: A Neuroplasticidade Transpessoal*). Além da proposta vanguardista de unir neurociência e educação, outro diferencial que faz com que esse não seja só mais um livro na prateleira é a introdução da ideia de *plasticidade transpessoal*, forma de plasticidade negligenciada pela maior parte dos livros-texto. Neste capítulo, Roberto coloca a interação social entre dois ou mais indivíduos como um agente fundamental da plasticidade – um cérebro que "ensina" modificando e sendo modificado por um cérebro que "aprende". Nesse contexto de "cérebros interativos", Roberto traz à baila estudos recentes que lançam mão do fNIRS (espectroscopia funcional de luz próxima ao infravermelho, em português), tecnologia que permite registrar a atividade cortical de um indivíduo enquanto o mesmo executa uma determinada tarefa. Esses estudos se valem do *hiperescaneamento*: o registro simultâneo de atividade em pelo menos dois indivíduos durante uma interação social. É fácil imaginar como a utilização dessa técnica num contexto realista de sala de aula possibilitará compreender melhor a dinâmica de troca de informação entre quem aprende e quem ensina.

Acreditamos que este livro tem potencial para satisfazer tanto as pessoas que vêm da pesquisa em neurociências – que busquem saber o que essa nova área de investigação possibilitará – quanto educadores e educadoras – que busquem saber o que a neurociência pode oferecer. Se isso não fosse suficiente, o livro também deve proporcionar uma leitura agradável para pessoas leigas com interesse no assunto ou no desenvolvimento da educação no Brasil.

*Daniel Menezes Guimarães*
*Diego Szczupak*
*Kleber A. Neves*
Alunos de Pós-Graduação do Instituto
de Ciências Biomédicas da UFRJ

# PREFÁCIO

Minha intenção ao escrever este livro foi alcançar os professores brasileiros e os estudantes de pedagogia e das diversas licenciaturas, com a mensagem de que "há muita água embaixo da ponte". Isso significa que entre a ciência e a educação temos que construir uma ponte sobre águas volumosas.

Metáforas à parte, quero dizer que a complexidade do tema "aprendizagem" exige uma abordagem em diversos níveis – do molecular/celular, ao psicológico/social. No meio, temos uma vasta área na qual se manifestam os fenômenos da educação: a plasticidade sináptica, o desenvolvimento dos circuitos neurais, o funcionamento simultâneo em rede de regiões cerebrais, e a interação entre cérebros em atividades transpessoais que tão fortemente caracterizam a educação. Tudo isso imerso em um mundo social que se transforma continuamente.

Minha narrativa aqui, então, restringe-se ao conceito de neuroplasticidade – propriedade do sistema nervoso que está na raiz da educação -, abordando-a do celular ao transpessoal, mas deixando de lado, precavidamente, os polos (o molecular, de um lado, e o social do outro), que planejo abordar futuramente, com a contribuição de colegas especialistas nessas áreas.

Importante dizer que a abordagem de um fenômeno em vários níveis não significa confundi-los. Significa reconhece-los como diferentes e individualizados, com propriedades específicas e únicas. O que cabe explorar é a borda indistinta que os separa, nublada e fosca, mas extremamente rica pelo seu potencial explicativo e a sua riqueza de nuances.

Posso explicar: os neurônios aprendem, como tento mostrar, por meio da plasticidade sináptica que caracteriza a sua fisiologia; isso significa que os circuitos neuronais são dotados de memória, mas não significa que a plasticidade sináptica explique inteiramente a complexidade envolvida no esforço do leitor para assimilar o meu texto. Você pode estar triste, e isso impacta negativamente o seu esforço. Ou pode estar extremamente motivada para aprender como preparação para a vida profissional de professora[1], o que repercute positivamente. Assim, um circuito sináptico não dá conta da influência das emoções sobre a memória, embora seja útil compreender de que modo as sinapses provenientes de neurônios do núcleo acumbente – antigamente chamado "centro do prazer" – influenciam aqueles situados nas regiões corticais da compreensão leitora. É conceitualmente útil, para compreender a base biológica da memória. E é útil

---

[1] Quando uso o gênero feminino, não é um erro de digitação. É uma homenagem às mulheres, que compõem a grande maioria do corpo docente no ensino básico brasileiro. E, por favor, não se sintam os demais desprestigiados, estão todos incluídos no meu esforço pela clareza!

na prática, para compreender por que os alunos deprimidos têm dificuldades de aprender, e porque os alunos hiperativos também. E talvez para – ao reconhecê-los – saber encaminhá-los aos profissionais que os possam ajudar a resolver o seu problema e otimizar o seu desempenho.

A consciência de que a realidade do mundo admite diferentes explicações, em níveis heurísticos distintos, implica reconhecer que o conhecimento do mundo exige a atuação confluente de diversas especialidades, e que as diversas especialidades apreendem apenas um aspecto do mundo.

Como apreender a totalidade é missão inconclusa, talvez impossível. Aquele médico alemão bem conhecido de todos – Sigmund Freud – tentou isso em 1895, quando escreveu o seu *Projeto para uma Psicologia Científica*. Autocrítico, acabou deixando o texto na gaveta, e ele só foi publicado após a sua morte. Mas não deixa de ser instigante e instrutivo vê-lo esgrimir entre o conceito de neurônio (novíssimo naquela época) e as psicopatologias: neurônios $\Phi$ (fi), sensoriais; neurônios $\psi$ (psi), os da memória; e neurônios $\omega$ (omega), os da consciência. A tentativa refletiu o passado de Freud como neuroanatomista, conhecedor agudo da teoria neuronal recém-nascida.

Tentativa mais recente – e igualmente insuficiente – foi a do norte-americano Edward O. Wilson, criador da disciplina (improvável?) chamada *sociobiologia*, e do termo (impossível?) *consiliência*, título de um livro seu. Em ambos, temos a tentativa, que me parece impossível, de analisar a realidade sem levar em conta a diversidade de seus níveis heurísticos, a separação entre eles (com interfaces, é claro) e a especificidade dos métodos capazes de abordá-los com sucesso.

Enfim, *O Cérebro Aprendiz – Neuroplasticidade e Educação* nasceu como uma tentativa de apreender a diversidade do fenômeno educacional – essa magna operação socialmente estruturada que a espécie humana criou para viabilizar-se na natureza. Tentativa também de estabelecer confluências nas bordas desses simultâneos níveis de existência do fenômeno, para estimular exercícios multidisciplinares de interpretação.

Os originais contaram com a leitura crítica de minha colega Patrícia Garcez, e de três alunos de doutorado do Instituto de Ciências Biomédicas da Universidade Federal do Rio de Janeiro. Estes últimos tiveram a gentileza de escrever a *Apresentação* do livro. Obrigado, Patrícia! Obrigado, Daniel Menezes Guimarães, Diego Szczupak e Kleber A. Neves! As ilustrações foram feitas por um ex-aluno do curso de Medicina da UFRJ, hoje psiquiatra e artista Julio Xerfan. Podem apreciar a excelência do traço. Essas escolhas não foram casuais: estou convencido de que os alunos ensinam mais do que imaginamos aos professores. Os originais foram lidos e comentados também por Cilene Vieira Lent, minha editora preferida e meu pilar cotidiano. Obrigado, Cilene!

À Editora Atheneu devo também agradecer pela aposta no improvável. Será que o meu livro vai ser lido?

De todo modo, espero que os que se aventurarem a percorrer as páginas que se seguem pelo menos aprendam alguma coisa de forma agradável. A utilidade é discutível – mas, pelo menos, divirtam-se.

*Roberto Lent*

# SUMÁRIO

Apresentação

Prefácio

**1   Introdução,** *1*
Ciência para Educação, *3*
Neuroeducação, neuromodas, *7*

**2   Neuroplasticidade, O que é?,** *11*
Memória, aprendizagem e neuroplasticidade, *13*
As várias faces da plasticidade neural, *16*
Consiliência e neuroplasticidade, *17*

**3   Neurônios Interativos,** *21*
O código dos impulsos nervosos, *23*
A conversa entre os neurônios, *28*
A memória sináptica, *30*

**4   Circuitos Aprendizes,** *39*
Quem são os circuitos aprendizes, *41*
Como aprendem os circuitos aprendizes, *43*

**5   Redes Dinâmicas,** *49*
Áreas cerebrais em ação, *51*
O concerto das áreas cerebrais, *54*
Linguagem oral em rede, *57*
A rede neural da leitura, *61*
A rede da memória, *63*
As redes esculpidas pela educação, *65*
Uma palavra de cautela, *69*

**6 Crianças: Uma Longa Transição,** *71*

O desenvolvimento no útero: quando começa a consciência?, *73*

Infância: períodos críticos e aceleradas mudanças, *77*

Adolescência: em busca de controle, *83*

**7 O Conectoma Mutável,** *85*

O gigantesco mapa das conexões neurais, *88*

Em busca do conectoma humano, *92*

Plasticidade de longa distância: o conectoma mutável, *95*

**8 Cérebros Interativos: A Neuroplasticidade Transpessoal,** *103*

A conversa entre os cérebros: neurociência educacional, *105*

**9 Conclusão: Pontes em Construção,** *113*

Referências Bibliográficas, *119*

Índice, *133*

# Introdução[1]

Neste capítulo introdutório, apresentaremos o conceito de Ciência para Educação, no qual se insere a chamada neurociência educacional. Na base desta última está a neuroplasticidade, conjunto de fenômenos que representa as raízes biológicas da aprendizagem e do ensino, porque oferece explicações em diferentes níveis, de como um cérebro que ensina pode modificar outro que aprende. Mas atenção: uma palavra de cautela deve ser considerada, para conhecer as limitações dessa abordagem e evitar ilações sem fundamento. A neuroplasticidade explica a Educação em alguns, mas não todos os níveis de abordagem. Por isso a Ciência para Educação é mais abrangente, envolvendo muitas outras disciplinas científicas. Como todos os fenômenos da natureza ou da sociedade, raramente há uma única explicação que os abarque completamente.

---

[1] Comentários e referências serão adicionados ao pé das páginas, para facilitar a fluência da leitura. A lista completa de referências bibliográficas encontra-se no final do livro. Quase todas elas podem ser obtidas na íntegra utilizando o Portal de Periódicos da CAPES (www.periodicos.capes.gov.br).

## 🔴 CIÊNCIA PARA EDUCAÇÃO[2]

Um dos avanços mais importantes, em todo o mundo, na transição entre os séculos XX e XXI, foi a consolidação do conceito criado pelo cientista político norte-americano Donald Stokes (1927-1997), de **pesquisa inspirada pelo uso** ou **pesquisa translacional**, aplicada com grande sucesso na área da Saúde e nas Engenharias em praticamente todos os países de médio e alto PIB[3].

Esse conceito pretendeu superar o antagonismo entre a pesquisa básica ou fundamental e a pesquisa aplicada ou tecnológica, estimulando os agentes financiadores da pesquisa científica (públicos e privados), bem como os cientistas, a orientar seus esforços a linhas de trabalho balizadas por potenciais aplicações de interesse social. Stokes[4] usou como exemplo a obra do conhecido biólogo francês do século XIX, Louis Pasteur (1822-1895), que produziu descobertas fundamentais para a ciência, como a existência de microrganismos e a consequente negação da geração espontânea da vida, crença prevalente desde Aristóteles. Além disso, inspirou-se na demanda prática dos vinicultores e cervejeiros franceses, que buscavam descobrir por que seus produtos azedavam com o tempo, e acabou desenvolvendo um processo de esterilização de alimentos que é utilizado até hoje (chamado pasteurização). Segundo Stokes, a ciência básica pode e deve se articular estreitamente com a tecnologia e a inovação, sendo essa estratégia socialmente mais produtiva do que o isolamento dos dois extremos em instituições separadas.

Essa concepção de **pesquisa translacional** substituiu o modelo surgido no pós-guerra por influência do consultor do governo norte-americano Vannevar Bush (1890-1974), que a encarava como uma cadeia linear de conhecimento progressivo iniciada pela pesquisa básica nas universidades, seguida de pesquisa aplicada nestas e em outras instituições, depois o desenvolvimento tecnológico e a inovação, realizados pelas empresas (**Figura 1.1A**). Em um relatório[5] concluído em 1945 por demanda do presidente Franklin Roosevelt, dos Estados Unidos, Bush propôs uma forte ênfase no financiamento público da pesquisa básica, considerada a origem de todas as aplicações de utilidade social. Stokes, por outro lado, passou a defender um modelo bidimensional, pelo qual toda atividade de pesquisa deveria responder a duas indagações: quais conceitos básicos ela pode revelar, e que utilidade prática potencial os resultados poderão ter (**Figura 1.1B**). Segundo ele, os pesquisadores básicos só respondem à primeira questão, enquanto os desenvolvedores tecnológicos (inventores) só respondem à segunda. Por essa razão, seria mais produtivo, socialmente, investir nas propostas que contemplem ambas de modo coopera-

---

[2] Uma versão resumida deste texto introdutório foi publicada no sítio da Rede Nacional de Ciência para Educação em 2016: http://cienciaparaeducacao.org/wp-content/uploads/2015/06/Lent-2016-CpE-O-Que-E.pdf.

[3] Evidências do sucesso dessa abordagem na Saúde podem ser encontradas nas análises da Organização Mundial da Saúde: http://www.who.int/gho/en. Para as tecnologias geradas pelas Engenharias, os números do Banco Mundial são representativos: https://data.worldbank.org/topic/science-and-technology.

[4] D. E. Stokes (1997). Livro seminal que influenciou bastante as opções dos Estados Unidos no fomento à ciência e à tecnologia.

[5] V. Bush (1945). Famoso relatório ao governo norte-americano que lançou as bases da política científica dos Estados Unidos no pós-guerra.

**FIGURA 1.1** | Os dois principais modelos de pesquisa translacional aplicados com sucesso na área da saúde e nas engenharias, mas ainda não na educação. **A** mostra o modelo linear, concebido como uma sequência da pesquisa básica à aplicação social. **B** mostra o modelo bidimensional, que preconiza uma ênfase no chamado quadrante de Pasteur, considerado socialmente mais produtivo. O último quadrante (Linnaeus) foi acrescentado aqui em homenagem ao autor do sistema de taxonomia das espécies utilizado até hoje pela comunidade científica em todo mundo.

tivo, como exemplificado pelo trabalho de Louis Pasteur. E além disso, fazê-lo em instituições que abriguem muitas ou mesmo todas as variantes desse trabalho translacional, reunindo profissionais de todos os perfis de modo a abarcar desde a ciência básica até a pesquisa aplicada e o desenvolvimento de novas tecnologias. O novo modelo é recente, e não há evidências ainda dos seus resultados em comparação com o modelo linear.

    Com base nesses conceitos, a pesquisa translacional para a saúde se adiantou nas décadas após a II Guerra Mundial, e passou logo a reunir um conjunto consistente de atores – desde os cientistas nas universidades e instituições de pesquisa até os profissionais de saúde nos hospitais, clínicas e consultórios.

Fazendo a intermediação, pequenas empresas *startups* e *spin-offs*, grandes empresas do complexo industrial da saúde e os sistemas governamentais formuladores de políticas públicas nessa área. Modelo semelhante seguiram as Engenharias. A pesquisa, de qualquer modo, tendeu gradativamente a se unificar nas mesmas instituições, envolvendo todo o espectro delineado acima.

Essa estruturação integrada se capilarizou em muitos países, e orienta, por exemplo, a atuação dos *National Institutes of Health*, nos Estados Unidos, bem como também o trabalho da Fundação Oswaldo Cruz, em nosso país. De um modo geral, a saúde avançou muito nas últimas décadas no mundo todo, apesar das desigualdades internacionais e dificuldades internas a cada país. Tal pode ser verificado pelos indicadores gerais de saúde, como a mortalidade infantil, a expectativa de vida, as crescentes possibilidades terapêuticas desenvolvidas para o câncer, as doenças degenerativas e muitas doenças infectocontagiosas[6]. Do mesmo modo, a biologia e a medicina inauguraram e expandiram a era dos "omas": genoma, proteoma, metaboloma, conectoma... uma revolução translacional de abrangência e profundidade jamais vistas[7].

O mesmo, no entanto, não ocorreu com a Educação. Ainda não há uma percepção nítida por parte dos agentes sociais, mesmo nos países desenvolvidos, de que a pesquisa científica já pode compreender de que modo o cérebro humano aprende, quais os possíveis mecanismos aceleradores da aprendizagem e da memória, que inovações tecnológicas poderiam ser validadas com estudos de tipo clínico para racionalizar em escala a educação na sala de aula, quais competências cognitivas e socioemocionais deveriam possuir os futuros cidadãos para assumir atitudes socialmente mais participantes e cooperativas, bem como inserir-se em empresas cada vez mais automatizadas e informatizadas, e construir um mundo mais igualitário e produtivo. Os atores que se criaram para a Saúde não apareceram ainda para a Educação, e as incipientes tentativas de conectar a ciência das universidades e instituições de pesquisa com a sala de aula não lograram sucesso na multiplicação de iniciativas do setor industrial, como foi o caso da Saúde.

Talvez por conta dessa omissão, o progresso dos indicadores educacionais brasileiros tem sido ligeiramente positivo, mas muito modesto[8], mantendo-se o desnível em relação aos indicadores dos países mais arrojados nesse aspecto, como a Finlândia, Coreia do Sul, Singapura e Polônia. No caso da Saúde, as políticas públicas não apenas investem em melhorias materiais (saneamento, atendimento hospitalar, cobertura nutricional), mas também em ciência e inovação capazes de criar novas opções, originais e competitivas no cenário internacional (novas terapias para doenças degenerativas, novas vacinas para doenças tropicais e outras). Diferentemente, no caso da Educação o investimento é exclusivamente focado nas melhorias materiais (mais escolas, melhores salários para os professores, e tantas outras), obviamente mais que necessárias, mas insuficientes para acelerar o crescimento dos nossos

---

[6] Organização Mundial da Saúde (OMS): http://www.who.int/healthinfo/indicators/2015/metadata/en/.

[7] J. W. Lichtman e J. R. Sanes (2008). Esta revisão escrita por dois grandes nomes da conectividade neural faz uma comparação entre o projeto do Genoma Humano e o então incipiente projeto homólogo do Conectoma Humano.

[8] Organização para a Cooperação e o Desenvolvimento Econômico (OCDE): http://www.oecd.org/pisa/ pisa-2015-results-in-focus.pdf.

indicadores a taxas mais rápidas que nos permitam alcançar e ultrapassar o ritmo de desenvolvimento educacional dos países centrais em poucas décadas.

A percepção dessa carência apenas se inicia, no Brasil e mesmo na comunidade científica internacional[9], e ainda assim apenas em alguns poucos países que criaram iniciativas incipientes na forma de *Science of Learning Centers* – entre eles os Estados Unidos, a Austrália e a China[10]. Em 2016, o Conselho Nacional de Ciência do Japão promoveu uma reunião de 12 academias de ciências de diversos países, inclusive do Brasil, que resultou na aprovação de um documento[11] que faz menção explícita à necessidade de investir nesse aspecto da Ciência. O documento foi encaminhado como proposição para a reunião do G-7, realizada em maio de 2016 no Japão. É possível prever que os países centrais brevemente comecem a se dar conta da importância de resolver essa limitação. É o que faz supor a iniciativa que tomou o governo francês em 2018, de criar um conselho científico consultivo de assessoramento do ministro da educação.

O potencial de contribuição das diferentes disciplinas científicas para a Educação, assim, torna-se gradativamente mais nítido. Cada vez mais a Neurociência consegue desvendar a conectividade cerebral e a dinâmica da interação funcional entre o cérebro e o ambiente, bem como os caminhos do desenvolvimento do sistema nervoso e os mecanismos da neuroplasticidade, que tornam o cérebro capaz de moldar-se, adaptar-se e modular o seu desenvolvimento de acordo com estímulos externos. Essas descobertas repercutem e interagem com a Psicologia Cognitiva, revelando como as pessoas se relacionam no ambiente familiar, social e, obviamente, escolar. Também a Biologia Molecular e a Biologia Celular avançam na compreensão das interações entre moléculas e células, em particular aquelas que compõem o sistema nervoso. E a Biologia do Desenvolvimento permite compreender a lógica da embriogênese e do desenvolvimento infantil e seus desvios, tanto a determinação genética e epigenética deles, como também seus determinantes ambientais. Da mesma forma, as Ciências da Informação e da Computação – muitas delas baseadas em redes neurais com inspiração na neurociência – se expandem como jamais se viu antes, tornando completamente conectados os seres humanos de qualquer idade e em qualquer região do mundo. Esse desenvolvimento conceitual tem criado processos e ferramentas aceleradoras da aprendizagem (especialmente na área de softwares educacionais de extensa difusão social) com grande potencial de utilização em escala.

Esse cenário torna patente a potencialidade de estender à Educação o modelo de pesquisa translacional inspirada pelo uso, prevalente na área da Saúde, e salienta a necessidade de fazê-las convergir, para que ambas se beneficiem mutuamente. Essa nova abordagem translacional pode ser chamada **Ciência para Educação**[12], e constitui o pano de fundo deste livro.

---

[9] A. M. Meltzoff e cols. (2009); M. Sigman e cols. (2014). Dois artigos fundamentais que lançam os fundamentos para compreender as bases neurobiológicas da aprendizagem e da educação.

[10] Estados Unidos: http://www.nsf.gov/funding/pgm_summ.jsp?pims_id=5567; Austrália: http://www.qbi.uq.edu.au/science-of-learning-centre; China: http://sol.edu.hku.hk/ e http://asiasociety.org/education/learning-world/science-learning.

[11] http://www.scj.go.jp/ja/info/kohyo/pdf/kohyo-23-gs2016-1.pdf.

[12] R. Lent e cols. (2017). Livro que traz, nos seus capítulos, exemplos da abordagem multidisciplinar de temas de pesquisa referentes aos temas e problemas da educação.

## ⏩ NEUROEDUCAÇÃO, NEUROMODAS

Dentre as várias disciplinas que podem estabelecer vínculos com os problemas da Educação, talvez a que tem maior potencialidade de repercussão conceitual e prática é a Neurociência. De fato, os avanços dos estudos sobre o cérebro, em especial o cérebro humano, têm tido grande impacto social. E nessa vertente, são especialmente reveladores aqueles que empregam técnicas de neuroimagem funcional, pois elas são capazes de identificar não apenas as regiões ativadas quando alguém executa uma determinada ação mental ou comportamental, mas também a rede de regiões cuja atividade é sintonizada coletivamente durante essa ação. E não só isso, rapidamente caminhamos para a elucidação da interação entre cérebros em contextos psicológicos, educacionais ou sociais de um modo geral.

As ações estudadas por neuroimagem podem abranger um vasto arsenal de possibilidades. Pode-se, por exemplo, planejar um experimento em que voluntários são solicitados a decidir por uma dentre muitas opções de comportamento ou atitude, em função de uma recompensa, às vezes monetária, outras vezes de outra natureza. Como o experimento é feito com os voluntários posicionados em um equipamento de ressonância magnética funcional, os pesquisadores podem obter imagens de grande precisão anatômica dos cérebros estudados, sendo a atividade neural mostrada graficamente em cores quentes sobre o cinza anatômico – vermelho, laranja e amarelo – para indicar crescente intensidade de ativação. A interpretação dos resultados, geralmente, atribui às regiões coloridas participação no processo de tomada de decisões. E como essas decisões são influenciadas pela recompensa que está à vista, interpreta-se o experimento como sendo um modelo dos processos de decisão econômica, ao menos no plano individual. Esse raciocínio levou à proposição de que esse tipo de estudo fosse chamado *neuroeconomia*.

Mais ousadas são as ilações tiradas de experimentos que relacionam as áreas cerebrais ativadas durante reações de prazer ou desprazer, com estímulos de natureza comercial. Que grau de empatia ou prazer provoca em você o último anúncio da Coca-Cola que assistiu na televisão? Que intensidade de rejeição ou mesmo nojo você tem quando vê aquelas figuras terríveis que descrevem os malefícios do tabaco, impressas atualmente em todos os maços de cigarros? Essas emoções positivas e negativas podem ser avaliadas por ferramentas de detecção da atividade neural, e relacionadas com as áreas cerebrais correspondentes fornecendo aquelas mesmas impressionantes e impactantes imagens coloridas do cérebro. Os dados podem ser instrutivos para a elaboração de campanhas de publicidade de marcas, embalagens e produtos. A partir desses estudos, propôs-se a existência de um ramo da neurociência chamado *neuropropaganda* ou *neuromarketing*.

Nessa mesma vertente estão os estudos que relacionam a atividade cerebral com a aprendizagem e a educação em geral. Seria a *neuroeducação*. Veremos ao longo deste livro inúmeros exemplos de experimentos realizados em diferentes níveis de abordagem, que relacionam a atividade cerebral com os mecanismos e processos vigentes durante diversas atividades realizadas no âmbito da família ou das escolas, seja do lado do aprendiz ou do lado do professor.

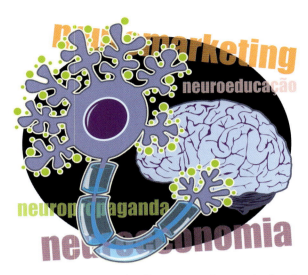

**FIGURA 1.2** | É preciso cautela e rigor científico para avaliar as relações da neurociência com os diferentes fenômenos da vida social, para não se deixar levar por explicações sedutoras que atribuem aos níveis heurísticos mais reduzidos os determinantes únicos – ou mesmo mais importantes – desses fenômenos.

Não pretendo refutar os resultados da neurociência em relação a esses aspectos da vida social. Muitos deles têm rigor científico e alto poder explicativo, e constituirão exemplos comentados nos capítulos a seguir. No entanto, é preciso estar ciente do alto poder sedutor das explicações reducionistas, especialmente quando se trata de fazer uso delas em contextos de negócios (**Figura 1.2**). Nesses casos, muitas vezes ocorre uma exagerada valorização da importância do cérebro e seu funcionamento, pretendendo-se apenas fortalecer uma determinada proposta de intervenção social ou negocial com argumentos científicos sem base sólida, e sem a devida contextualização crítica. Alguns autores têm chamado a atenção para essa utilização indevida da neurociência[13].

As "neuromodas" não são necessariamente criadas por má-fé. Representam proposições de grande força de convencimento, que exercem uma mágica sedução explicativa em setores leigos da população. Um estudo científico rigoroso e bastante ilustrativo desse fenômeno foi realizado por pesquisadores da Universidade Yale, nos Estados Unidos[14]. Os pesquisadores formularam quatro tipos de afirmativas científicas curtas: uma afirmativa era correta e apresentava a interpretação de um fato psicológico; uma segunda apresentava interpretação circular e inadequada do mesmo fato; os dois outros tipos adicionavam aos primeiros uma frase envolvendo uma área cerebral na explicação, sem nenhuma relação com o fato. Exemplo do primeiro tipo: *O "suor frio" é um fenômeno ligado ao medo e à ansiedade*. Exemplo do segundo tipo: *O "suor*

---

[13] Um livro interessante nesse aspecto foi publicado há alguns anos pelo psicólogo italiano Paolo Legrenzi e seu colega neurocientista Carlo Umiltà, com o provocativo título *Neuromania*. Vale a pena conferir.
[14] D. S. Weisberg e cols. (2008). Trabalhos mais recentes confirmaram esse fenômeno: R. E. Rhodes e cols. (2014) e D. Fernandez-Duque e cols. (2015).

*frio" é um fenômeno que ocorre quando uma pessoa se sente envolvida em uma situação complicada*. Para associá-las a uma explicação neurocientífica, as duas assertivas poderiam receber o seguinte adendo (não necessariamente correto): *Estudos de neuroimagem comprovam que o lobo anterior do cerebelo está envolvido nesse fenômeno*. Os exemplos são meus, criados para melhor esclarecer o experimento dos autores.

Pois bem, assertivas como essas foram apresentadas a três grupos de voluntários: um grupo de alunos de pós-graduação em neurociência, um grupo de calouros universitários cursando uma disciplina de neurociência, e um grupo de pessoas leigas no assunto. Todos tinham que atribuir notas de -3 (explicação muito insatisfatória) a +3 (explicação muito satisfatória) às assertivas. Os resultados mostraram fortemente que as notas eram sempre melhores para as assertivas que continham referências ao cérebro (mesmo sendo erradas), exceto no grupo de alunos de pós-graduação. O fenômeno ocorreu mesmo quando o conteúdo das frases era circular e confuso. Conclusão: nas pessoas leigas, ou mesmo medianamente informadas, é robusta a "mágica" explicativa da neurociência para os fenômenos cognitivos, psicológicos ou psicofisiológicos. Os autores chamaram o fenômeno de *efeito de fascinação sedutora*. Em trabalho mais recente[15], concluiu-se que o efeito de fascinação sedutora na verdade corresponde a um maior poder de convencimento de explicações reducionistas em geral, e pode ser evidenciado em outras ciências não relacionadas a fenômenos neuropsicológicos (**Figura 1.2**).

A ideia de existência de uma disciplina chamada neuroeducação, desse modo, pode levar a uma expectativa equivocada sobre o poder das explicações que, como verão a seguir, abordam alguns dos níveis heurísticos[16] possíveis dos fenômenos da aprendizagem e da educação em geral, mas não são redutíveis exclusivamente a eles. O cérebro não explica tudo sobre a educação. As descobertas da neurociência não resolvem todos os problemas da educação. Devem, no entanto, ser considerados como bases explicativas sobre as quais se organizam outros níveis mais globais, que envolvem as relações interpessoais e as relações sociais[17].

Também me parece que o esforço de aproximação que ocorreu nos anos 1970, de disciplinas então separadas, para constituir uma enorme construção explicativa sobre os fenômenos do cérebro e da mente, pode sofrer um retrocesso com a nova fragmentação que as "neuromodas" parecem induzir. Nessa época, apareceu a nova disciplina convergente chamada *neurociência*. Foi

---

[15] E. J. Hopkins e cols. (2016). Este trabalho é bem interessante, pois aborda, por exemplo, explicações científicas de fenômenos etológicos com seus correlatos biológicos e bioquímicos. A maioria dos participantes do estudo considerou mais convincentes as explicações bioquímicas (hierárquicas) do que as etológicas (horizontais). O mesmo foi feito para fenômenos envolvendo outras ciências.

[16] Utilizo esta palavra no sentido de níveis suscetíveis a uma determinada *abordagem científica* por meio de metodologias apropriadas e exclusivas.

[17] J. T. Bruer (1997); J. P. Byrnes e N. A. Fox (1998). Estes dois artigos trazem uma apreciação crítica da dificuldade de estabelecer pontes entre a neurociência e a educação. Uma revisão recente (Horvath e Donoghue, 2016) traz um aprofundamento da questão, relacionando de modo bastante crítico quatro modos de integração da educação com diferentes níveis de abordagem das questões educacionais: conceitual, diagnóstico, funcional e prescritivo. Leitura imprescindível para os interessados no assunto.

quando, em vários países, criaram-se sociedades científicas com esse nome, departamentos e institutos universitários, e iniciativas de fomento que integravam a neurologia com a psiquiatria, a neuroanatomia com a neurofisiologia, esta última com a psicologia, e várias outras como as ciências da computação, a biofísica, a neuroquímica e a neurofarmacologia, e assim por diante. Tudo ficou incluído dentro da neurociência, o que levou a um enorme progresso multidisciplinar dos fenômenos do cérebro e seu funcionamento. O risco a que estamos expostos agora é que novamente uma fragmentação territorialista ocorra, separando os pesquisadores e passando ao público uma ideia falsa de que o valor explicativo das neuromodas seja independente e autossuficiente em relação às demais abordagens.

A orientação que segui neste livro foi a de conceber o cérebro e a mente como realidades que podem ser analisadas sob diferentes níveis de abordagem, do molecular ao social (os níveis heurísticos mencionados acima). Como explico melhor no Capítulo 2, todos esses níveis existem simultaneamente, são suscetíveis a diferentes metodologias científicas, apresentam interfaces confluentes e, em conjunto, dão uma ideia mais completa dos fenômenos que envolvem a educação.

# Neuroplasticidade, O que é?

O sistema nervoso nasce, cresce e morre mudando a todo minuto. Não é como um circuito eletrônico, fixo e imutável. Essa incrível e dinâmica capacidade de mudança do cérebro, ao receber influências e informações do ambiente (inclusive do seu microambiente interno) é que se chama neuroplasticidade. Esta, no entanto, só pode ser entendida se a considerarmos como um amplo conjunto de fenômenos que ocorrem simultaneamente em vários níveis de existência, do molecular ao multicerebral. Você verá que os vários níveis não se misturam, mas possuem interfaces confluentes, e que o conhecimento sobre eles deve respeitar sua individualidade, explorando suas confluências. Pense: você é uma pessoa, ao mesmo tempo um gigantesco conjunto de células e, simultaneamente, um grão de poeira no universo. Todos esses níveis explicam você, a seu modo!

## ▶▶ MEMÓRIA, APRENDIZAGEM E NEUROPLASTICIDADE

Toda vez que uma pessoa interage com o ambiente, algum aspecto dessa interação permanece armazenado no seu cérebro durante pelo menos um breve momento. A natureza dessa interação, e o seu impacto na vida do indivíduo, determinarão a sua importância e significado. O significado para a pessoa, por outro lado, regulará o tempo de permanência do traço de memória no cérebro e a utilização eventual em seu benefício (como uma lembrança capaz de modificar um comportamento planejado ou em andamento). A memória, portanto, é a capacidade de codificar, estocar e recuperar informação, enquanto apenas o processo de estocagem é identificado como aprendizagem[18]. Os mecanismos e capacidades de estocagem são cruciais para a sobrevivência de muitas espécies, e passam por modificações e atualizações constantemente, em resposta a demandas do ambiente[19].

Se você refletir sobre aspectos da sua própria vida, poderá entender do que se trata. Ao ler este livro, você será capaz de lembrar-se por alguns dias que o fez deitada em sua cama, mas depois de um mês essa informação terá desaparecido de sua memória, a não ser que a sua leitura se dê sempre nesse local (a repetição ajuda a consolidar as memórias). Por outro lado, se no momento em que estiver lendo o livro, alguém lhe telefonar contando que você acabou de ganhar o prêmio da mega-sena (tomara!), o cenário em que leu o meu livro jamais lhe sairá da memória...

A palavra *aprendizagem*, assim, envolve um indivíduo com seu cérebro, captando informações do ambiente, guardando-as por algum tempo e, eventualmente, utilizando-as para orientar seu comportamento subsequente. O conceito de aprendizagem superpõe-se amplamente com o de memória, embora ambos devam ser distinguidos, considerando a memória como o processo global e a aprendizagem apenas como o estágio de aquisição.

O ambiente quase sempre inclui outros indivíduos com seus cérebros, de modo que ocorre uma interação mediada pelos cérebros e a aprendizagem se torna uma troca recíproca. Nesse contexto, os cérebros interativos aprendem ao mesmo tempo. Isso é particularmente importante para os seres humanos, já que vivemos em sociedade, o que significa um conjunto de interações complexas e frequentes entre indivíduos, em grande escala. Essa não é uma propriedade exclusiva dos seres humanos, entretanto, pois muitas outras espécies têm características sociais (**Figura 2.1**).

É o caso de insetos como as abelhas, os cupins e as formigas, aves como os papagaios e os corvos, mamíferos como os camundongos, os morcegos e os cães, e obviamente os primatas não humanos, como os chimpanzés e os gorilas. Entre os animais, a natureza social de sua vida lhes oferece melhores alternativas de sobrevivência pela cooperação na busca de alimento, na proteção das crias contra predadores e, algumas vezes, até em uma hierarquia social e especialização no trabalho diário, que por ser coletivo e especializado

---

[18] T. Klingberg (2013). O sueco Torkel Klingberg faz neste livro uma descrição acessível sobre a aprendizagem, memória e o desenvolvimento cerebral nas crianças.

[19] R. P. Bonin e Y. De Koninck (2015). Este trabalho revisa o fenômeno da *reconsolidação* da memória, pelo qual o sistema nervoso atualiza e reforça os traços da memória.

**14** CAPÍTULO 2 | NEUROPLASTICIDADE, O QUE É?

**FIGURA 2.1 |** Praticamente todas as espécies animais apresentam algum tipo de aprendizagem e memória, isto é, seus sistemas nervosos são capazes de adquirir, estocar e depois utilizar informações.

lhes oferece melhor rendimento do que o mesmo trabalho realizado igualmente por todos os indivíduos. Nesse contexto, a aprendizagem recíproca torna-se o modo mais importante de garantir a vida social, e no caso dos seres humanos, de construir o aprimoramento mental dos indivíduos e o progresso material da sociedade.

A aprendizagem pode assumir uma infinidade de formas na vida cotidiana, algumas tão simples quanto observar um objeto imóvel, outras muito complexas como tocar um instrumento musical em sincronia com uma orquestra. Os recém-nascidos aprendem coisas simples, mas logo descobrem também as melhores estratégias para aprender as coisas mais complexas (e mais interessantes!) que estão em torno. Eles *aprendem a aprender*. Dotados dessa ferramenta, os jovens e os adultos multiplicam extraordinariamente essa habilidade, tornando-se capazes de armazenar e recuperar a todo momento uma quantidade gigantesca de informações.

Além disso, a sociedade humana, em função da complexidade da tarefa de capturar a estonteante quantidade de informação disponível no ambiente, desenvolveu um modo estruturado e planejado de facilitar a aprendizagem, e criou o que ficou conhecido como Educação.

A Educação, assim, é um modo socialmente estruturado de aprender, e de aprender a aprender. É também recíproca, porque envolve pelo menos duas partes – os aprendizes e os professores. Os aprendizes são os que não sabem alguma coisa, enquanto os professores são os que possuem (algum) conhecimento, esperando-se que de algum modo o transfiram aos aprendizes. Portanto, a educação é recíproca, mas não simétrica. Deve ser dialógica, como definiu Paulo Freire (1921-1997)[20], proporcionando às duas partes envolvidas momentos de grande interação e troca. É claro que na civilização moderna os professores podem criar ferramentas que os substituam em alguns momentos – livros, kits, jogos, vídeos, e muitas outras. Essa alternativa é mais pobre e só pode ser complementar, porque perde muito da reciprocidade e do engajamento que o contato humano oferece[21]. Além disso, modernamente não se pretende que o professor seja capaz de superar os canais virtuais de informação em capacidade de armazenagem. No entanto, cabe a ele ainda, de modo privilegiado e eficaz, orientar e estimular os aprendizes na tarefa de descobrir os caminhos para obter e utilizar as informações contidas nessas mídias.

A interação recíproca entre aprendiz e professor é basicamente uma interação entre dois cérebros. Ambos têm que estabelecer contato mental, usando uma linguagem (oral, escrita ou de outra modalidade), bem como contato sensorial (visual, auditivo, tátil), e comportamentos motores sincronizados, para comunicar-se eficientemente[22].

Ao longo do tempo, os dois cérebros interativos acabam por modificar-se mutuamente, porque conseguem transmitir e estocar informação de um ao outro. Para realizar essa gigantesca tarefa, os cérebros fazem uso de uma propriedade muito importante – a neuroplasticidade[23].

A neuroplasticidade, assim, pode ser definida como a propriedade que todos os sistemas neurais têm, de modificar-se dinamicamente na interação com o ambiente[24]. Mesmo organismos muito simples como os invertebrados, cujo sistema nervoso tem um número de neurônios que pode não atingir a casa dos milhares, apresentam evidências de neuroplasticidade. É o caso do verme de nome complicado *Caenorhabditis elegans*, com cerca de 300 neurônios, e da lesma marinha *Aplysia californica*, com cerca de 18.000 neurônios[25]. Nos sistemas nervosos complexos, como o dos seres humanos, a neuroplasticidade assume diversas formas, como veremos, e tudo indica que se apresenta em todos os quatrilhões de sinapses de nossos cérebros.

---

[20] P. Freire (1967). Livro muito influente entre os educadores, com conotações ideológicas muito datadas sobre a realidade político-social do Brasil nos anos 1960-70, mas importante pela ênfase que dá ao diálogo e interatividade entre professores e aprendizes.

[21] Mesmo as alternativas oferecidas pela Inteligência Artificial, que podem propiciar retornos "inteligentes" de reciprocidade aos aprendizes, não atingiram ainda (será que chegarão lá?) a riqueza de possibilidades das interações entre humanos. Neste aspecto, é interessante consultar as instigantes revisões de Blanco e Carvalho (2017) e Souza e Silva e cols. (2017).

[22] K. J. Friston e C. D. Frith (2015). Revisão conceitual do processo de inferência de significado na interpretação da conversação verbal entre pessoas.

[23] Y. Chang (2014). Mini-revisão sobre as alterações funcionais e estruturais características da neuroplasticidade, utilizando como exemplos estudos de imagem em atletas e músicos.

[24] Uma versão resumida dos conceitos sobre neuroplasticidade, expostos neste livro, foi publicada como capítulo de um livro mais abrangente: Tovar-Moll e Lent (2017).

[25] O. Hobert (2003); C. H. Bailey e E. J. Kandel (2008). O trabalho de Oliver Hobert mostra a existência de plasticidade no nematódeo *C. elegans*, mas o mais notável é o de Eric Kandel, que mereceu o prêmio Nobel de Fisiologia ou Medicina de 2000 por desvendar os mecanismos moleculares e celulares da memória na *Aplysia californica*.

## 16 CAPÍTULO 2 | NEUROPLASTICIDADE, O QUE É?

# ▶▶ AS VÁRIAS FACES DA PLASTICIDADE NEURAL

Em um livro anterior[26], usei um exemplo, que me parece muito claro, do que significam os vários níveis heurísticos de existência de um mesmo objeto ou fenômeno natural: a Terra. Para um astrofísico, nosso planeta não passa de um minúsculo grão de pó movendo-se em conjunto com milhares, milhões, bilhões de outros grãos semelhantes (ou muito diferentes) nas dimensões quase impensáveis do Universo. Para um geólogo, por outro lado, a Terra é uma gigantesca esfera formada por um conjunto de camadas entre a superfície e o seu centro, de espessura, composição, temperatura e estado físico diferentes. Para um físico de partículas, a Terra talvez seja de uma simplicidade estonteante, composta por cerca de 20 diferentes partículas elementares, e nada mais... Já os botânicos e zoólogos só se interessam pela superfície da Terra, isto é, pelas espécies vegetais e animais que a habitam. E os antropólogos e sociólogos focam em uma única dessas tantas espécies: só têm olhos para os seres humanos e sua teia de relações coletivas!

No entanto, todos lidam com o mesmo objeto natural (a Terra), que existe e é estudado ao mesmo tempo em diferentes níveis ou planos heurísticos, isto é, que exigem uma abordagem científica específica. Cada nível é acessível aos cientistas mediante o uso de metodologias adequadas, muitas vezes exclusiva de cada um deles. Ou seja: não dá resultado usar um telescópio para analisar a composição química do mar, ou um questionário estruturado para estudar o comportamento dos *quarks*.

Tomei conhecimento pela primeira vez das implicações filosóficas e práticas dessa múltipla existência dos fenômenos e objetos naturais, a partir de um livro seminal do bioquímico britânico Steven Rose (1938-)[27]. Rose analisa justamente os vários níveis de abordagem científica do cérebro e suas funções, desde as vias moleculares do metabolismo neuronal e da transmissão sináptica, que são objeto de estudo dos neuroquímicos, até os mais complexos fenômenos multipessoais, que são objeto dos psicólogos. Sua grande contribuição foi chamar atenção para a existência simultânea desses vários níveis heurísticos (**Figura 2.2**), e analisar criticamente as alternativas excludentes de abordagem deles, propostas de um lado pelos chamados *reducionistas*, e de outro lado, com sinal contrário, pelos ditos *holistas.* Para os primeiros, por exemplo, os fenômenos mentais poderiam ser explicados inteiramente reduzindo-os aos seus mecanismos celulares e moleculares. Para os últimos, a mente seria no máximo uma propriedade emergente do cérebro, e adquiriria existência independente deste. Seria, portanto, explicável por princípios e leis próprios que nada teriam a ver com o funcionamento do cérebro. O que extraí do argumento de Rose é que o cérebro e a mente são níveis heurísticos de um mesmo objeto, que talvez possa ser chamado *consciência*, à falta de um melhor termo unificador. A grande dificuldade é estabelecer pontes entre os níveis, já que eles não existem como territórios independentes, mas se misturam nas bordas. As bordas, portanto, não são abruptas, mas gradativas, misturando os níveis em

---

[26] R. Lent (2010). *Cem Bilhões de Neurônios?*, p. 5.
[27] S. Rose (1969). *The Conscious Brain*. O original foi publicado em inglês, em 1969, pela Penguin Books, e em português, em 1984, pela Editora Alfa-Ômega.

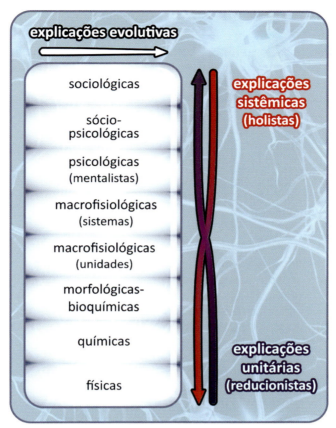

**FIGURA 2.2** | Modelo hierárquico de Steven Rose[27] sobre os vários níveis heurísticos (explicações, segundo ele) da natureza.

interfaces fluidas (**Figura 2.2**). Você verá ao longo do livro como as explicações moleculares transitam gradativamente para os mecanismos celulares, estes se misturam com os circuitos entre os neurônios, os circuitos ao mesmo tempo formam redes, e as redes em funcionamento se comunicam entre si e com as redes de outros indivíduos. E os indivíduos, finalmente, estruturam-se em grupos e sociedades.

## ▶▶ CONSILIÊNCIA E NEUROPLASTICIDADE

Essa tarefa – a de buscar a unidade do conhecimento (se é que isso é possível) – foi chamada *consiliência* pelo biólogo norte-americano Edward O. Wilson. Wilson publicou um livro ousado em 1999[28], que lhe trouxe uma avalanche de críticas, mas que abriu uma possibilidade interessante para resolver a dificuldade causada pelo gigantismo da tarefa que os cientistas enfrentam atualmente. Como conseguir reunir em um mesmo arcabouço teórico os vários

---

[28] E. O. Wilson (1999). Tentativa inspiradora de unificar as várias abordagens do conhecimento humano.

planos de abordagem que o conhecimento humano impõe, para revelar os segredos de uma realidade que se desdobra em níveis diferentes de existência?

Um exemplo interessante de consiliência, dentre os vários utilizados por Wilson, é o comportamento de evitação do incesto. A atitude de evitar as relações sexuais entre irmãos, e entre pais e filhos, é aparentemente universal, existente em todas (ou quase todas) as culturas humanas ao longo da história. Mesmo quando existe, é eventual, e altamente condenada e reprimida. Não há exemplos registrados de relacionamentos desse tipo que sejam aceitos socialmente. Quando acontecem, são considerados uma anomalia imoral e ilegal. Como explicar esse curioso fenômeno?

Duas explicações clássicas opostas são consideradas até hoje[29]. A primeira foi proposta em 1891 pelo antropólogo finlandês Edward A. Westermarck (1862-1939), com um viés biológico, e a segunda, em 1899, por Sigmund Freud (1856-1939), com um viés psicológico.

Westermarck relatou que, tanto em macacos como entre seres humanos, os indivíduos rejeitam sexualmente aqueles com quem conviveram de perto nos primeiros meses de vida: pais e irmãos. A isso se chamou "efeito Westermarck", que foi sendo confirmado por inúmeros autores ao longo do século XX, e representaria uma vantagem evolutiva, por prevenir a expressão de genes letais ou fortemente patogênicos, que ocorre muito mais frequentemente em filhos de pais geneticamente relacionados. O efeito se produziria durante um período crítico[30] de cerca de 30 meses após o nascimento, ao longo dos quais alguma informação de natureza até o momento desconhecida seria captada pelos indivíduos que convivem nessa fase da vida. E demonstrou-se que ele não ocorre apenas dentro das famílias biológicas. Um extenso estudo[31] com meninas chinesas de Taiwan, "adotadas" por famílias desde bebês para garantir o casamento futuro dos seus filhos homens, revelou um fenômeno social que se tornou uma das mais fortes evidências do efeito Westermarck. O estudo mostrou que a resistência ao casamento (mesmo programado desde cedo), bem como a frequência de separações e de relacionamentos extraconjugais era muito maior no caso das mulheres "adotadas" durante o período crítico. O número de filhos, por outro lado, era muito menor. Como essas meninas sim-pua (como eram chamadas no idioma Hokkien), não tinham parentesco com as famílias que as adotavam, pode-se concluir que o efeito carece de determinação genética: provém certamente de algum fator cognitivo, afetivo ou mesmo biológico (feromônios?), que é captado e se fixa no indivíduo nesse período. E tampouco pode-se dizer que o comportamento de evitação, nesses casos, tenha determinação cultural, já que na cultura dessas famílias o costume era aceito normalmente.

Uma explicação diferente para a evitação do incesto foi dada por Sigmund Freud. Para o pai da psicanálise, a partir dos 3 anos o menino passaria a nutrir um forte desejo sexual por sua mãe (complexo de Édipo), bem como a menina pelo pai (complexo de Electra, nas palavras de Carl Jung), sendo esse desejo

---

[29] E. A. Westermarck (1891); S. Freud (2013). O livro de Freud foi publicado pela primeira vez em 1899.
[30] O conceito de período crítico é desenvolvido no Capítulo 6, seção 6.2.
[31] A. P. Wolf e C-S. Huang (1980). Estudo de longo prazo sobre o costume tradicional do "casamento infantil" nas famílias chinesas de Taiwan.

aos poucos reprimido pelo superego (*i.e.*, pela sociedade e sua cultura). A evitação do incesto, neste caso, seria então exclusivamente cultural, dependente dos códigos e comportamentos morais adotados pela sociedade, e interiorizados pelos meninos e meninas ao se tornarem adolescentes e depois adultos. A explicação de Freud transfere a causa do fenômeno para o plano social, mas não explica porque praticamente todas as sociedades e culturas adotam os mesmos princípios morais que levam à condenação das relações incestuosas.

Entre os primatas também se demonstrou amplamente o efeito Westermarck, o que fala a favor de uma determinação biológica (não necessariamente genética) para o fenômeno. Em todas as espécies estudadas, o comportamento reprodutivo é exogâmico, resultante do fato de que os jovens machos – e em alguns casos as fêmeas – deixam o grupo em que nasceram antes da maturidade sexual e se inserem em outro grupo não relacionado. E isso não se deve a uma eventual pressão agressiva de adultos dominantes. Antes, parece ser um comportamento natural do indivíduo. A exogamia que resulta dessa mistura nos grupos torna praticamente inexistente o nascimento de crias com severos defeitos do desenvolvimento embrionário, sendo desse modo útil, do ponto de vista evolutivo, para a sobrevivência da espécie.

A universal ocorrência da evitação do incesto ilustra a existência simultânea do mesmo fenômeno em diferentes níveis ou planos de realidade, neste caso o biológico, o psicológico e o social. Talvez, na espécie humana, a construção social que gerou o tabu do incesto em todas as culturas tenha se originado do fenômeno biológico da prevenção da endogamia. É o que parece, a julgar pela existência de mecanismos etológicos para garantir a exogamia em todas as espécies de primatas não humanos.

Na perspectiva de Edward O. Wilson, um dos objetivos maiores da Ciência seria a unificação desses níveis de existência em uma única moldura teórica. A proposta me parece utópica e inatingível, mas torna-se útil se puder comprovar a múltipla existência dos fenômenos da realidade, mesmo que apenas consigamos estabelecer pontes entre os níveis adjacentes, na sua zona de sobreposição. Assim, a evitação do incesto é um fenômeno que existe simultaneamente nos planos biológico, psicológico e sociocultural. Não há como reduzi-los uns aos outros, mas é possível e produtivo estudá-los nessas várias dimensões.

É nessa moldura conceitual que pretendemos definir e analisar o fenômeno da neuroplasticidade.

A neuroplasticidade, assim, pode ser definida como a capacidade do cérebro de submeter-se a modificações temporárias ou permanentes, sempre que este seja influenciado por si próprio, por outros cérebros ou pelo ambiente. Existe em muitos níveis diferentes e simultâneos em todos os seres vivos providos de sistemas neurais (**Figura 2.3**), podendo-se listar pelo menos os seguintes: o **nível molecular/celular**, dentro dos neurônios e das células gliais; o **nível sináptico**, nas junções que permitem a comunicação entre os neurônios; o **nível dos microcircuitos**, considerando cadeias de neurônios próximos, conectados com os outros por meio de extensas ramificações de seus prolongamentos; o **nível de longa distância,** que inclui os extensos feixes de fibras da substância branca cerebral; o **nível sistêmico**, envolvendo redes neurais ativas e interativas de diversas áreas cerebrais de um indivíduo; o **nível transpessoal**, que abarca as interações entre

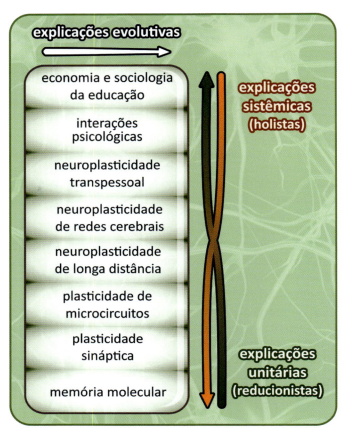

**FIGURA 2.3** | Os níveis heurísticos da neuroplasticidade.

cérebros/pessoas (como os de um professor e de um aluno); o **nível psicológico** e o **nível social**, envolvendo pares, grupos, e mesmo populações de seres humanos dentro de uma estrutura social organizada. Podemos dizer, neste último caso, que são cérebros humanos interativos que estabelecem, em proporções incalculáveis, infinitas trocas, armazenamento e recuperação de informações, criando uma vertigem de pequenas ou grandes mudanças sociais que se acumulam a cada minuto ao longo da história da humanidade.

Nos capítulos a seguir, pretendemos descrever e discutir alguns desses vários níveis de neuroplasticidade[32], com o objetivo de revelar os mecanismos empregados pelos neurônios e cérebros interativos, subjacentes ao ensino, à aprendizagem, à educação como um todo e a outros processos sociais relacionados e similares. Cada capítulo abordará um desses níveis, em sucessão do mais reducionista ao mais holístico. Há dois grandes desafios nessa empreitada. O primeiro é passar de um nível a outro utilizando pontes conceituais demonstráveis, sem prejuízo da natureza de cada um deles. O segundo é traduzir os conceitos e evidências descritos aqui, em práticas sociais, ou seja, educacionais.

---

[32] J. D. Sweatt (2016). Esta é uma revisão bastante pessoal da história da neuroplasticidade nas últimas décadas. Difícil resumir 60 anos, mas é interessante pela tentativa de síntese.

# Neurônios Interativos

Você é um grão de poeira cósmica, uma pessoa em sociedade e uma gigantesca família de células. Ao mesmo tempo! A aprendizagem também pode ser definida assim: uma existência múltipla em várias dimensões. Este capítulo aborda os níveis mais reducionistas dos fenômenos da aprendizagem, aqueles que ocorrem nos neurônios de todos os animais. Neurônios aprendem, é isso mesmo! O conhecimento dos fenômenos da aprendizagem neuronal permite que possamos entender alguns determinantes da memória em suas bases mais reduzidas e simples, o que nos levará a compreender melhor os níveis holísticos (psicológicos, por exemplo), impactando também no conhecimento das causas de alguns transtornos do desenvolvimento e da aprendizagem.

CAPÍTULO 3 | NEURÔNIOS INTERATIVOS **23**

# ▰▶ O CÓDIGO DOS IMPULSOS NERVOSOS

Neurônios são capazes de aprender, isto é, de adquirir e estocar informações que recebem de outros neurônios através das suas "estações de comunicação", as sinapses. Esse é talvez o nível mais reducionista de análise dos fenômenos educacionais. Como frisamos antes, entretanto, abordá-lo cientificamente não tem o objetivo de "explicar a aprendizagem", mas apenas de compreender um aspecto de sua natureza.

Os neurônios podem receber informações diretamente do ambiente, ou então de outros neurônios. No primeiro caso, diz-se que são neurônios receptores, isto é, células especializadas em traduzir a informação analógica (**Figura 3.1**) contida nos estímulos ambientais (radiações luminosas, vibrações mecânicas do ar, características químicas dos alimentos e dos cheiros, entre outros), em códigos que podem ser compreendidos por todos os neurônios, alguns deles digitais[33] (**Figuras 3.1A** e **B**), outros analógicos (**Figura 3.1C**). No segundo caso, o neurônio que recebe de outro neurônio também codifica a informação analógica e digitalmente, como veremos adiante. A unidade (bit) do código digital que os neurônios empregam é o impulso nervoso (conhecido tecnicamente como *potencial de ação*), conduzido pelas fibras nervosas desde o corpo celular até a extremidade que faz contato com um outro neurônio, ou mesmo com outras células (musculares, glandulares). Outros tipos de potencial, de características analógicas, também podem ser produzidos pelos neurônios, especialmente nas junções entre eles. A todo momento, os neurônios executam conversões análogo-digitais e vice-versa (**Figuras 3.1D** e **E**), conservando ou modificando em cada uma dessas conversões o seu conteúdo informacional. A informação codificada nesses potenciais é transmitida de um neurônio a outro com a mediação de mensageiros químicos.

Sabe-se já com detalhes, então, que uma fibra nervosa conduz informação por meio de um fenômeno eletroquímico repetitivo (o impulso nervoso) que chega até um estreito contato físico estabelecido com um segundo neurônio (a sinapse). A sinapse não é um processo, é uma estrutura: o processo chama-se transmissão sináptica. A sinapse é formada por duas membranas celulares: aquela que está na extremidade terminal da fibra nervosa do primeiro neurônio, chamada membrana pré-sináptica; e a que lhe faz face depois de um espaço "vazio", a membrana pós-sináptica, pertencente ao segundo neurônio. O impulso nervoso vem do corpo do primeiro neurônio, situado à distância, trafegando em grandes velocidades (que podem atingir 120 m/s ou cerca de 430 km/h), até chegar ao terminal. Pense como é incrível essa velocidade: para chegar da medula espinhal até um músculo do seu pé, um impulso nervoso precisa apenas de uns 8 milésimos de segundo!

O potencial de ação (**Figura 3.2**) é uma "explosão elétrica" que se origina em um local do neurônio e se multiplica ponto a ponto ao longo da membrana

---

[33] *Código digital* é aquele cuja unidade de informação é finita e invariante (um bit), sendo o conteúdo da informação representado pela frequência de bits. *Código analógico* é o que varia continuamente, representando a informação por infinitos valores. Um relógio digital, por exemplo, representa o tempo por números inteiros combinados, enquanto um relógio analógico representa o mesmo tempo por meio do deslocamento contínuo dos ponteiros.

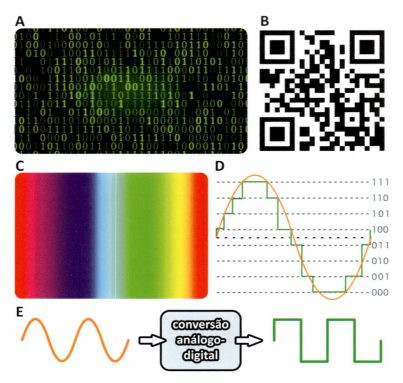

**FIGURA 3.1** | A codificação quantitativa do mundo. Um código digital é representado por dois bits: 1 e 0 (**A**). Um bom exemplo é o código QR (**B**), que organiza em um espaço bidimensional os bits 1 (em preto) e 0 (em branco). Um código analógico é contínuo (**C**), como o espectro de comprimentos de onda das radiações eletromagnéticas vistas como cores por nosso sistema visual. Um mesmo fenômeno pode ser representado por ambos os códigos (**D**), que podem ser interconvertidos (**E**).

da fibra nervosa. A origem do potencial de ação pode se dar em diferentes partes do neurônio, mas existe um local "especializado" nisso, chamado *zona de disparo* (**Figura 3.2A**). É justamente a região em que a fibra nervosa (o *axônio*) emerge do corpo celular, formando uma espécie de cone de implantação. Na zona de disparo, as proteínas encravadas na membrana, responsáveis por manter e alterar a diferença de potencial[34] entre o lado de dentro e o lado de fora, são mais sensíveis às flutuações de potencial. Qualquer oscilação de poucos milivolts na membrana, geralmente proveniente do corpo do neurônio, dispara a "explosão", que não é mais que uma (rapidíssima e reversível) inversão da diferença de potencial mencionada há pouco (**Figura 3.2B**). A grande sacada da natureza é que essa explosão se propaga "automaticamente".

Não pense que a melhor analogia para descrever a propagação do potencial de ação em uma fibra nervosa é a do círculo luminoso de uma lanterna que se desloca de um ponto a outro, ou a de uma conta de colar percorrendo

---

[34] Normalmente, o chamado potencial de repouso do neurônio fica em torno de 50-60 milivolts, sendo o lado de dentro da membrana da célula mais negativo que o lado de fora. Esse potencial oscila, e quando atinge um certo limiar (diferente para cada neurônio), o potencial de ação "explode" e a diferença de potencial se inverte, ficando a superfície interna positiva em relação à externa.

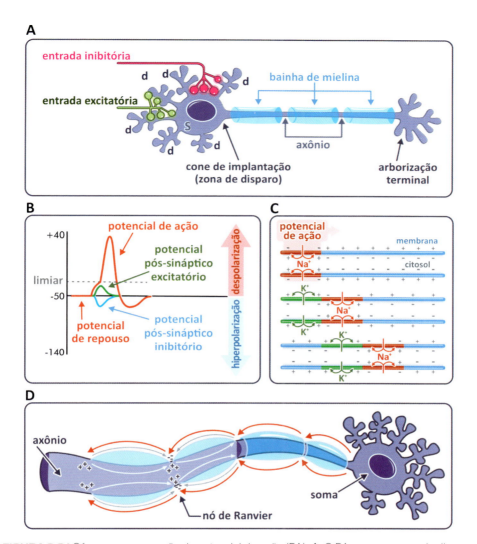

**FIGURA 3.2** | Gênese e propagação do potencial de ação (PA). **A**: O PA surge na zona de disparo, a partir de potenciais sinápticos gerados nos dendritos (d) e no soma (S) do neurônio. A partir daí se propaga até as arborizações terminais. **B**: Representado em gráfico, o PA começa com uma leve despolarização da membrana que pode levar o potencial de repouso até o limiar. Se for o caso, ocorre uma despolarização ultrarrápida até um pico, seguida da repolarização. Tudo ocorre em poucos milissegundos. **C**: O PA se propaga pela ocorrência de sucessivas "explosões" iônicas, nas regiões vizinhas ao primeiro episódio na zona de disparo. **D**: Se o axônio for mielinizado, a propagação é dita saltatória (setas), mais rápida e eficiente.

o cordão. Não é. O potencial de ação é uma pequena explosão mesmo, uma inversão súbita e ultrarrápida da diferença de potencial em um ponto minúsculo da membrana da fibra, que causa uma nova explosão no ponto adjacente, que causa uma outra no ponto seguinte, e assim sucessivamente (**Figuras 3.2C** e **D**). A melhor analogia ainda é a de uma série de lâmpadas dispostas em linha, que se acendem e se apagam em sequência, parecendo ao longe como se estivessem se deslocando.

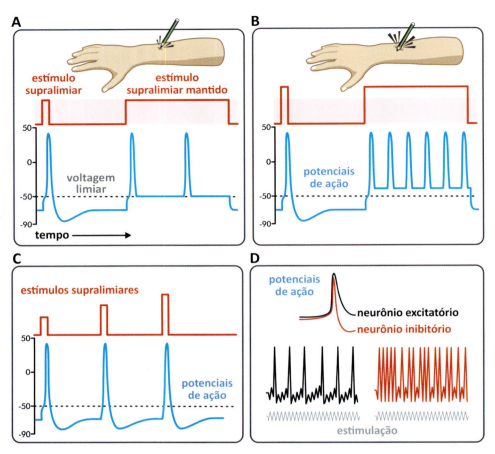

**FIGURA 3.3** | Características do impulso nervoso. **A-C**: Quando se aplica a um neurônio um estímulo acima do limiar (traçados em vermelho), ele dispara potenciais de ação (em azul). A frequência de PAs resultante depende da intensidade do estímulo. Repare que o potencial de ação em **A** e **B** mantém a mesma amplitude (altura do traçado em azul) mesmo quando o estímulo aumenta de intensidade (traçado em vermelho, de **A** para **B**). No entanto, a frequência de PAs aumenta (em **B**). Em **C** pode-se ver mais claramente que a amplitude do PA permanece a mesma para estímulos de intensidades crescentes. **D** mostra que neurônios diferentes produzem PAs ligeiramente diferentes e, para uma mesma estimulação, disparam PAs a frequências diferentes.

Como a explosão iônica do potencial de ação pode durar até menos que 1 milissegundo e logo depois a membrana volta ao potencial de repouso, a cada milissegundo pode ocorrer um novo potencial de ação. Portanto, a fibra nervosa tem a capacidade de disparar potenciais de ação em diferentes frequências, até um máximo em torno de 1.000 impulsos por segundo, ou 1 KHz[35]. Então, a pressão crescente de um lápis sobre a pele (uma grandeza analógica) pode ser codificada nas fibras nervosas do tato por impulsos nervosos disparados a frequências proporcionalmente crescentes entre 0 e 1 KHz (um código digital) (**Figuras 3.3A** e **B**). Se a pressão do lápis aumentar, a

---

[35] KHz significa 1.000 Hz, sendo Hz a abreviatura de Hertz, unidade de frequência equivalente a 1 ciclo por segundo.

frequência de impulsos aumenta também (**Figura 3.3B**). Se variar, a frequência acompanha a variação. E quando o lápis for retirado do contato com a pele, a fibra nervosa silencia. A cada novo toque do lápis, ocorre um novo disparo de potenciais de ação pela fibra.

Repare que, enquanto o estímulo mecânico pode aumentar analogicamente, o potencial de ação permanece o mesmo e invariante fenômeno digital (**Figura 3.3C**). Quem varia é a frequência, como mostrado no gráfico inferior da **Figura 3.3D**, que corresponde ao registro realista de potenciais de ação de neurônios excitatórios e inibitórios submetidos a uma mesma estimulação.

Chegando ao terminal da fibra, a salva de impulsos nervosos provoca a liberação de substâncias neurotransmissoras que estão armazenadas aí em diminutas vesículas. No exemplo do lápis que pressiona a pele, isso ocorre lá na medula espinhal, para onde são enviados os impulsos nervosos originados na pele.

Em resumo, a sensibilidade tátil da pele é propiciada pela codificação digital da intensidade do toque em impulsos nervosos, e estes rapidamente chegam ao primeiro estágio de processamento, que neste caso é a medula espinhal. Na medula ainda não há percepção consciente do estímulo tátil, o que vai ocorrer só adiante, no córtex cerebral. Mas já pode haver aí uma modulação do código digital, e até mesmo o bloqueio da passagem da informação ao córtex. É por isso que você não se dá conta de todos os estímulos que tocam a sua pele, como por exemplo a roupa que você está vestindo neste momento, que você só percebe agora que falei no assunto. Como a informação passa por inúmeras sinapses depois da medula e antes do córtex cerebral, em cada uma delas pode ocorrer esse tipo de modulação ou bloqueio, e assim, nem tudo que reluz é ouro na nossa percepção tátil.

Repare como é delicado e preciso esse código. Uma criança que aprende piano precisa identificar as teclas brancas e as pretas com os dedos, calibrar com grande precisão a força do movimento dos dedos sobre elas em função da intensidade do som que deseja produzir. Faz isso com auxílio da visão, mas à medida que aprende vai precisando menos dela, porque a sensibilidade tátil se torna cada vez mais precisa e autossuficiente. A percepção de diferenças ao toque dos dedos corresponde em parte às diferenças na frequência dos impulsos nervosos produzidos nos terminais do tato sob a pele, e que são conduzidos pelos nervos até o sistema nervoso central. Mais difícil é a tarefa de uma pessoa cega que aprende a escrita Braille, já que a modulação do código digital do tato é a única informação sensorial disponível para a aprendizagem. Quem sabe um inventor possa desenvolver algum dia uma superfície com sinais em Braille capazes de gerar sons distintos ao toque, que auxiliem a aprendizagem tátil na ausência da visão.

A codificação digital ocorre em todos os sentidos, e na verdade é um processo geral para todas as cadeias neuronais, sejam elas sensitivas, motoras, viscerais ou intracerebrais. Em algum ponto da cadeia, por razões diferentes, pode surgir um potencial de ação e mais um e mais outro, e o disparo é conduzido pela fibra nervosa ao neurônio seguinte, depois ao seguinte e assim por diante. É uma sucessão ininterrupta em todo o sistema nervoso, que não cessa nem mesmo durante o sono. Há sempre impulsos nervosos circulando entre os neurônios.

## A CONVERSA ENTRE OS NEURÔNIOS

Se há sempre impulsos nervosos sendo gerados e conduzidos até o segundo neurônio, entre este e o neurônio anterior existe uma interrupção, um espaço (a sinapse[36]). Portanto, é o momento de analisar como a informação é transmitida através dessa interrupção.

Os potenciais de ação, na metáfora que usei, vão "explodindo" em sequência ao longo da fibra nervosa até chegarem ao terminal, que é um pequeno bulbo de forma ligeiramente expandida que quase toca a membrana do segundo neurônio (**Figura 3.4A**). Ao chegar à ponta terminal um após o outro, os impulsos nervosos estabelecem uma diferença de potencial na membrana da região terminal do primeiro neurônio, o que causa uma avalanche de íons cálcio liberados dentro do terminal (**Figura 3.4B**). O cálcio aumentado faz com que as vesículas que armazenam neurotransmissor se aproximem e ancorem na face interna da membrana do terminal, fundam-se a ela e com isso ejetem pequenos volumes de neurotransmissor para a fenda sináptica, o minúsculo espaço entre os dois neurônios (**Figura 3.4B**). Cada vesícula sináptica pode conter cerca de 10 mil moléculas de neurotransmissor, e cada terminal sináptico pode alojar até 200 vesículas[37]. Isso perfaz um total máximo de 200 mil moléculas de neurotransmissor liberadas em cada sinapse. Como as vesículas são refeitas e reabastecidas de neurotransmissor em minutos, e como pode ser muito grande o número de botões terminais por neurônio (em torno de 10 mil), o resultado final da máxima estimulação de um neurônio pode chegar a 2 bilhões de moléculas de neurotransmissor liberadas em toda a superfície sináptica do segundo neurônio.

Os neurotransmissores são liberados no espaço mínimo que separa os neurônios na sinapse, e se difundem livremente até encontrarem a membrana do segundo neurônio. Como a distância entre essas membranas é muito pequena (cerca de 20 nanômetros, ou 0,000002 cm), o neurotransmissor é imediatamente reconhecido pelas macromoléculas de uma proteína receptora específica para ele, ancorada na membrana pós-sináptica (**Figura 3.4B**). Essa proteína é geralmente um canal iônico que se abre logo que o neurotransmissor se liga a ele, deixando passar íons para dentro ou para fora do segundo neurônio, e assim produzindo um segundo potencial elétrico, que mais à frente se transforma em novos impulsos nervosos. Estes, a seguir, são conduzidos pelo segundo neurônio para outro local.

Não pense que a informação codificada nos impulsos nervosos que chegam ao terminal pré-sináptico é automaticamente repassada pela transmissão sináptica e reproduzida no segundo neurônio. Longe disso. A transmissão sináptica pode modificar bastante a informação contida nos impulsos que chegam. Aliás, esse é o principal truque da enorme capacidade de processamento

---

[36] Na verdade, existem pelo menos dois tipos diferentes de sinapses: as químicas e as elétricas. Aqui consideramos apenas as primeiras, que são mais frequentes e dotadas de grande capacidade de processamento. As sinapses elétricas, também conhecidas como *junções comunicantes*, permitem a passagem direta de potenciais elétricos de uma célula a outra contribuindo para a sincronização de sua atividade, mas sem grande poder de processamento de informação.

[37] T. Schikorski e C. F. Stevens (1997); K. Ikeda e J. M. Bekkers (2008).

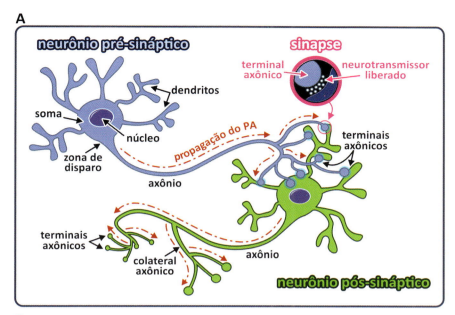

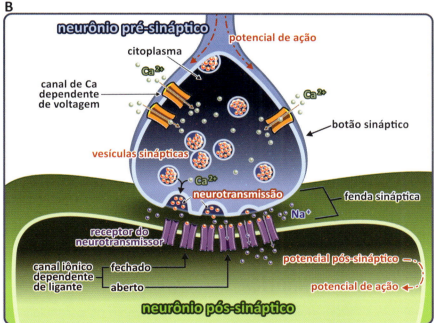

**FIGURA 3.4 |** Sinapse e transmissão sináptica. A: Os neurônios se comunicam por meio de sinapses, geralmente entre os terminais do axônio de um neurônio (pré-sináptico) e os dendritos de outro neurônio (pós-sináptico). B: A transmissão sináptica envolve a chegada do potencial de ação ao terminal axônico, seguida da abertura de canais de $Ca^{2+}$, que resultam na ancoragem das vesículas contendo neurotransmissor na membrana pré-sináptica e liberação das moléculas neurotransmissoras na fenda sináptica. A seguir, os neurotransmissores difundem-se na fenda e são reconhecidos por receptores específicos, também eles canais iônicos, geralmente, o que despolariza a membrana pós-sináptica produzindo um potencial pós-sináptico, e este por sua vez um potencial de ação na zona de disparo do neurônio pós-sináptico.

de informação do sistema nervoso: a modulação da transmissão sináptica. Basta descrever a complexa maquinaria molecular disponível na sinapse, para termos uma ideia da sua enorme capacidade de processamento[38]. Faço um resumo a seguir.

A membrana pré-sináptica é especializada em secretar para a fenda sináptica as moléculas mensageiras que participam da neurotransmissão (**Figura 3.4B**). Mas como pode haver, no mesmo terminal, vesículas que contêm um mensageiro considerado principal (por exemplo, o aminoácido chamado ácido gama-aminobutírico), outras vesículas que contêm moléculas coadjuvantes (por exemplo, o aminoácido glicina), e ainda outras que alojam peptídeos[39] (por exemplo, a somatostatina), tem que existir um mecanismo sofisticado na face interna da membrana pré-sináptica para reconhecer quais vesículas devem "ancorar" e abrir-se para a fenda sináptica de modo a derramar nela o seu conteúdo. De fato, existe aí toda uma estrutura multimolecular de alta complexidade, que propicia a ancoragem dos diversos tipos de vesículas sinápticas e a liberação de neuromediadores.

Na membrana pós-sináptica, por outro lado, é preciso contar com um sistema de reconhecimento dos mensageiros liberados na fenda. São os chamados receptores sinápticos, já mencionados há pouco. Neste caso, trata-se de proteínas complexas, às vezes compostas por várias subunidades, enoveladas de um modo característico e incrustadas na membrana pós-sináptica. Os receptores sinápticos são moléculas muito importantes, pois são eles os encarregados de reconhecer os mensageiros. Constituem, assim, pontos estratégicos para a ação terapêutica de muitos medicamentos, para o efeito patológico de anticorpos e microrganismos em várias doenças, e para a ação recreativa (que pode se tornar danosa) de substâncias de abuso[40].

O estudo dessa maquinaria molecular é muito relevante para a identificação e o desenvolvimento de fármacos que possam ajudar no tratamento de transtornos da transmissão sináptica. Outros fármacos podem ser desenvolvidos (alguns já existem) com o objetivo de facilitar esses mecanismos, sem que haja doenças envolvidas: fármacos que facilitam a atenção e a aprendizagem, por exemplo. Esse é um tema complexo, de grande repercussão ética e social, que deve ser cuidadosamente discutido à luz das evidências científicas, não apenas pelos educadores, mas por toda a sociedade[41].

## ▶▶ A MEMÓRIA SINÁPTICA

Além dos fenômenos rápidos que ocorrem durante os potenciais pré- e pós-sinápticos, uma mensagem bioquímica um pouco mais lenta pode ser

---

[38] A palavra "processamento" aqui significa uma operação capaz de modulação, amplificação, redução e até bloqueio completo da informação entre o neurônio pré- e o neurônio pós-sináptico.
[39] Peptídeos são cadeias curtas formadas por poucas dezenas de aminoácidos, que não chegam a constituir uma proteína em toda a sua complexidade.
[40] Alguns exemplos: J. Dalmau (2016); A. Gibbons e B. Dean (2016); F. M. Ribeiro e cols. (2017).
[41] Dentre as "neurodisciplinas" mencionadas no início deste livro, a neuroética tem-se estabelecido em vários eventos e publicações, destacando-se o livro recente organizado por J. Illes (2017), bastante completo e abrangente.

transmitida dentro desses dois neurônios interligados[42], tanto localmente no terminal axônico e no dendrito conectados, e até "na contramão" em direção ao núcleo do primeiro neurônio, para alcançar a maquinaria genética que aí se encontra[43].

A revelação dos mecanismos moleculares e celulares da memória sináptica foi bastante rica nas últimas décadas, e valeu o prêmio Nobel de Fisiologia ou Medicina, em 2000, ao neurocientista Eric R. Kandel (1929-). Kandel realizou experimentos em organismos invertebrados, que possuem sistemas nervosos bastante simples e acessíveis ao trabalho experimental. Ocorre que esses organismos exibem formas de aprendizagem semelhantes aos de organismos mais complexos, inclusive os seres humanos. Por exemplo, apresentam *habituação* a estímulos repetitivos inócuos, *sensibilização* a estímulos agressivos ou nocivos e *condicionamento clássico* de tipo pavloviano[44], sendo que esses três fenômenos podem ser rápidos ou então duradouros. Quando duradouros, representam uma aprendizagem primitiva relacionada ao tipo de memória qualificada como implícita, isto é, basicamente inconsciente.

Se você estiver em sua casa e começar a chover, você só repara no início, pelo barulho que a chuva provoca no telhado ou no chão. Se a chuva continuar fininha, você não a percebe mais: habituou-se ao ruído contínuo e inócuo. Se, no entanto, de repente, um raio cair do céu, com o seu flash repentino e o ruído assustador característico, você não só percebe como corre a tomar providências: fechar as janelas, por exemplo, porque a chuva vai engrossar... O raio aguçou a sua atenção e os seus sentidos: sua percepção sensibilizou-se para outros raios que possam ocorrer e para o aumento do volume de chuva.

Os três fenômenos de aprendizagem implícita podem ser estudados em organismos invertebrados como certos gastrópodos[45] marinhos. Na aplísia, um desses animais, a habituação pode ser evocada por um estímulo inócuo (o roçar de um pincel), que provoca num primeiro momento a retração da brânquia (à direita na **Figura 3.5A**), mas que com a repetição não mais altera o comportamento do animal. A sensibilização também pode ser evocada na aplísia, desta vez precedida pela estimulação da cauda por um choque elétrico fraco (mas assustador, para o bichinho...). Neste caso, o subsequente roçar do pincel no sifão provoca forte retração da brânquia, que se repete várias vezes com pinceladas sucessivas. Finalmente, o condicionamento clássico pode ser

---

[42] E. R. Kandel e cols. (2014). Importante leitura sobre os mecanismos da memória consiste em dois dos capítulos (66 e 67) do livro *Princípios de Neurociência*, organizado pelo neurocientista austríaco (naturalizado norte-americano) Eric R. Kandel e outros. A tradução brasileira é de excelente padrão.

[43] E. R. Kandel (2012); I. L. Salazar e cols. (2015). Kandel revê neste artigo a biologia molecular da memória, enfatizando o papel das enzimas que fosforilam ou desfosforilam as proteínas. Já o grupo português liderado por Ivan Salazar atualiza essas informações acrescentando o papel surpreendente das enzimas que decompõem as proteínas.

[44] Referente a Ivan P. Pavlov (1849-1936), famoso fisiologista russo que descobriu uma forma de aprendizagem associativa em cães, baseada na associação entre um estímulo incondicionado (que sempre provoca um efeito) e outro dito condicionado (que só provoca o mesmo efeito quando associado ao primeiro). Esse tipo de condicionamento também é conhecido como *condicionamento clássico*.

[45] Tipos de moluscos como caracóis e lesmas, entre outros. Kandel utilizou especialmente a lesma marinha *Aplysia californica*.

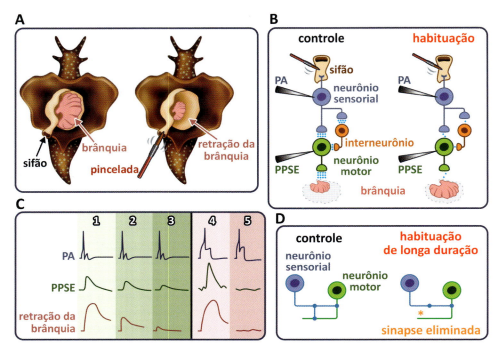

**FIGURA 3.5 |** A habituação é o mais simples exemplo de aprendizagem implícita, existente em praticamente todos os animais. **A** mostra o modelo experimental de Eric Kandel: a aplísia. **B** apresenta de modo simplificado o circuito do reflexo de habituação da aplísia: na situação de controle, o experimentador estimula levemente o sifão com um pincel, enquanto registra a atividade elétrica dos neurônios envolvidos, utilizando microeletrodos (PA = potencial de ação; PPSE = potencial pós-sináptico excitatório). Na habituação, o interneurônio mostrado no esquema não é ativado, o que só acontece na sensibilização, porque o seu limiar de ativação é atingido apenas pelo estímulo elétrico deste último tipo de experimento. **C** mostra os potenciais registrados no experimento de habituação, ao longo de alguns minutos (**1** a **3**), e após uma semana (entre **4** e **5**). **D** ilustra esquematicamente o desaparecimento de sinapses na habituação de duração mais prolongada.

estudado também, na aplísia, invertendo o experimento, e desta vez aplicando antes o estímulo leve do pincel, seguido segundos depois pelo choque elétrico na cauda. A associação faz com que o inocente estímulo do pincel como que anuncie a iminência do choque elétrico, e o animal aprende a ir logo retraindo a brânquia antes que o raio desabe...

Ocorre que os circuitos neuronais que controlam e comandam esses comportamentos reflexos sensório-motores da aplísia são conhecidos com detalhe (**Figura 3.5B**), e assim os pesquisadores podem registrar a atividade neural dos neurônios envolvidos. Na habituação, o cenário principal é constituído pelas sinapses entre os neurônios sensoriais (que respondem ao pincel) e os neurônios motores (que comandam os movimentos da brânquia). Nessa sinapse, a primeira pincelada pode provocar um potencial de ação no neurônio sensorial, que causa liberação do neurotransmissor glutamato e, consequentemente, a produção de um potencial sináptico excitatório no neurônio motor (**Figura 3.5C, tempo 1**). As pinceladas seguintes, no entanto, embora sempre provoquem potenciais de ação no neurônio sensorial, resultam em liberação menor de neurotransmissor, potenciais sinápticos cada vez menores no neurônio motor e, consequentemente, contrações cada vez menos intensas da brânquia (**Figura 3.5C**, tempos **2** e **3**). Se o experimento então for interrompido, a habituação do neurônio motor vai desaparecendo, e tudo volta ao "normal", como no início. Se o experimento for repetido em sequência várias vezes, entretanto, a liberação de neurotransmissor vai diminuindo e a habituação pode durar vários dias (uma semana, entre **4** e **5** na **Figura 3.5C**). Se o experimento for repetido ainda mais vezes, pode ocorrer a perda de sinapses no neurônio motor (**Figura 3.5D**): a habituação pode então se tornar praticamente permanente, e se transforma em uma verdadeira aprendizagem.

Na sensibilização e no condicionamento clássico, entra em cena um novo personagem: um interneurônio como o que pode ser visto na **Figura 3.5B**. Existem vários tipos de interneurônios, mas os que atuam nessa forma de aprendizagem têm como neurotransmissor a serotonina, e a transmissão sináptica por essa via amplifica ainda mais o potencial pós-sináptico no neurônio motor. Esses interneurônios entram em ação agora pois o choque elétrico que precede o pincel, ou o pincel que prenuncia o choque, tornam bem mais forte a resposta sináptica do neurônio motor, porque somam sua ação sináptica nos dendritos deste último. Ocorre então um potencial pós-sináptico mais intenso, que persiste assim durante algum tempo e pode tornar duradouros, e mesmo permanentes, a sensibilização e o condicionamento.

De que modo essa aprendizagem se torna realmente persistente?

Isso ocorre quando a expressão gênica é suprarregulada (ativada), e com isso o DNA produz proteínas (geralmente enzimas fosforilantes chamadas cinases) que são enviadas de volta exatamente à sinapse previamente utilizada. No terminal sináptico, essas moléculas promovem a síntese local de outras moléculas que o estabilizam e fortalecem[46], e ainda contribuem para formar novas sinapses nas redondezas. A informação original, portanto, é capaz de aumentar a adesão entre os neurônios pré- e pós-sinápticos. Essas sinapses fortalecidas tornam-se mais facilmente ativáveis e, assim, capazes de "reconstituir" prontamente a informação original a qualquer momento que seja necessário. Além disso, as novas sinapses que surgem nesse processo contribuem ainda mais para a preservação prolongada da informação que passa por essa cadeia de neurônios.

Um bom exemplo desse mecanismo é o que acontece depois que você sofre uma queimadura nos dedos por ter tocado inadvertidamente em uma panela muito quente. Se doeu muito, instintivamente você não mais colocará as mãos nas proximidades de uma panela que esteja no fogo. Ao sentir um mínimo calor, você já retirará as mãos com vigor. O reflexo ocorre antes mesmo que os seus dedos toquem na superfície escaldante.

A sinapse, portanto, é a sede celular da aprendizagem e da memória, o local onde se dão os mecanismos moleculares de que os neurônios dispõem para prolongar a permanência de um fenômeno observado ou captado. Representa o sítio mais reducionista de representação da aquisição e consolidação dos fenômenos da aprendizagem. É na sinapse que o neurônio aprende.

---

[46] C. M. Alberini (2009). Revisão que aborda o papel dos fatores de transcrição na plasticidade sináptica, seja a partir do núcleo ou localmente nos terminais sinápticos.

**34** CAPÍTULO 3 | NEURÔNIOS INTERATIVOS

Os fenômenos de retenção de informação resumidos acima assumem formas mais complexas nas sinapses dos vertebrados dotados de um sistema nervoso mais elaborado e, portanto, capaz de um tipo de memória denominado *explícita*. Esse é o tipo de memória que permite a você lembrar do que leu no início deste livro, ou do que fez ontem, ou da roupa que estava vestindo no dia de sua formatura. É também a memória explícita o objetivo da aprendizagem escolar, na maioria das vezes. Um pouco exageradamente, até, porque a imensidão de informações que você poderia/deveria aprender, pode ser obtida na palma de sua mão por smartphones conectados à internet...

As duas principais modalidades de aprendizagem sináptica explícita mais conhecidas são a *potenciação de longa duração* (LTP, na sigla em inglês), e a *depressão de longa duração* (LTD). Ambas foram objetos de pesquisa intensiva após a descrição original da primeira (LTP), no hipocampo, pelo inglês Tim Bliss e o norueguês Terje Lomo, há quase 50 anos[47] e da segunda (LTD) no cerebelo, pelo japonês Masao Ito e seus colaboradores[48]. Na realidade, sua importância como mecanismo celular da memória e da aprendizagem foi antecipada pelo morfologista espanhol Santiago Ramon y Cajal, em 1894, e mais tarde pelo psicólogo canadense Donald Hebb, em 1949[49], épocas em que as sinapses ainda eram apenas uma especulação, uma vez que não havia instrumento apropriado (o microscópio eletrônico) para revelá-las inteiramente em termos ultraestruturais.

O que Bliss e Lomo descobriram, e outros pesquisadores expandiram, foi que após uma estimulação de alta frequência provocada em fibras pré-sinápticas do hipocampo[50], a amplitude dos potenciais pós-sinápticos no segundo neurônio conectado permanecia alta por um certo tempo (geralmente minutos, às vezes horas), mesmo quando um estímulo mais fraco era aplicado depois (**Figura 3.6A**, gráfico superior). Isso significa que o neurônio pós-sináptico consegue manter viva a informação sobre o primeiro estímulo (o mais forte), respondendo com alta amplitude após os estímulos seguintes, mais fracos. O mesmo fenômeno foi descrito em muitas outras regiões do cérebro, incluindo o córtex cerebral, e prevaleceu a interpretação de que se trata de uma propriedade geral das sinapses excitatórias, que representa o principal mecanismo de memória do cérebro. Ito e seus colaboradores, por outro lado, descobriram que, associando dois estímulos transmitidos por duas fibras nervosas diferentes que convergem sobre uma única célula no cerebelo, o efeito registrado consistia, ao contrário, numa depressão (redução) do potencial pós-sináptico dessa célula (**Figura 3.6A**, gráfico inferior), capaz de prolongar-se por algum tempo como

---

[47] T. V. Bliss e T. Lomo (1973). Este é um dos trabalhos mais importantes, e por isso mais citados, sobre a neurobiologia da memória. Foi o artigo original que descreveu a LTP no hipocampo.

[48] M. Ito e cols. (1982). O trabalho do grupo japonês ampliou o repertório de fenômenos eletrofisiológicos associados à estocagem de informações pelos neurônios, com a descrição da LTD.

[49] S. Ramon y Cajal (1894); D. M. Hebb (1949). Duas contribuições fundamentais e visionárias da neurociência, mostrando que a ciência não se faz apenas com fatos, mas com intuições capazes de gerar fatos posteriormente.

[50] O hipocampo é uma região do córtex cerebral relacionada a diferentes aspectos da memória, situada no lobo temporal medial, em ambos os lados do cérebro. O nome deriva de sua semelhança anatômica com os cavalos-marinhos.

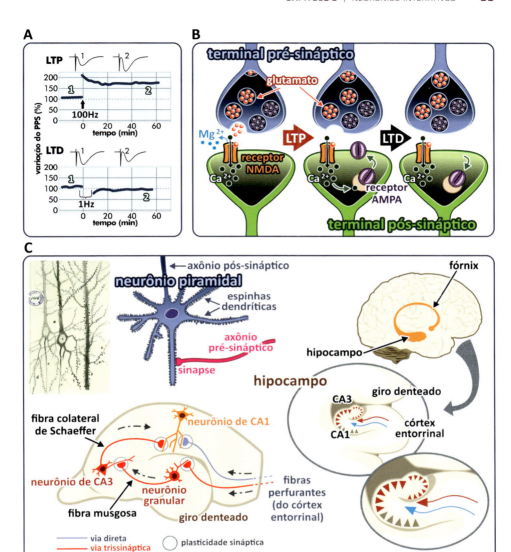

**FIGURA 3.6 |** Os dois principais exemplos de plasticidade sináptica subjacentes à aprendizagem (LTP e LTD). **A** mostra a variação do potencial pós-sináptico (PPS, na ordenada do gráfico) que ocorre na LTP e na LTD entre o tempo 1, após o qual se aplica uma estimulação rápida de 100 Hz ou prolongada de 1 Hz na fibra pré-sináptica, respectivamente, e o tempo 2, que mostra o PPS durante o fenômeno plástico. O gráfico mostra que o fenômeno dura minutos ou horas. **B** ilustra a inserção de mais receptores de neurotransmissores na membrana pós-sináptica na LTP, e a remoção deles na LTD. Em **C**, vê-se a localização do hipocampo (acima à direita), suas subdivisões (no meio), e os circuitos (abaixo) cujas sinapses (círculos) apresentam plasticidade sináptica. O desenho acima mostra em azul um neurônio piramidal do hipocampo com suas espinhas dendríticas, ladeado à esquerda por uma ilustração original do neurocientista espanhol Santiago Ramón y Cajal representando realisticamente células piramidais e um dendrito apical repleto de espinhas.

**36** CAPÍTULO 3 | NEURÔNIOS INTERATIVOS

acontece com a LTP. Também como a LTP, a LTD foi descrita em outras regiões cerebrais[51], além do cerebelo, incluindo o hipocampo e o córtex cerebral.

Tanto a LTP quanto a LTD representam mecanismos interativos opostos que controlam a eficácia sináptica (**Figura 3.6B**) e, portanto, contribuem para uma melhor modulação do processamento e da estocagem da informação. São formas de memória sináptica semelhantes à sensibilização e à habituação, mas com um grau de complexidade maior. Juntas, elas dotam a memória de flexibilidade, facilitando a aprendizagem de dados novos que podem substituir informações obsoletas, errôneas ou estressantes. Os dois fenômenos representam os mecanismos moleculares/celulares mais paradigmáticos da neuroplasticidade.

A **Figura 3.6C** mostra o circuito mais típico do hipocampo que apresenta a LTP, com ênfase especial para as espinhas dendríticas dos neurônios piramidais, que são a mais conhecida "sede" sináptica desse fenômeno neuroplástico.

O principal ponto sobre a potenciação e a depressão de longa duração, como mecanismos biológicos da aprendizagem e da memória, é que são fenômenos eletrofisiológicos, ou seja, dissipam-se após um curto período de tempo. Como então pode a memória de longo prazo, que resulta da aprendizagem, ser explicada? Como pode um fenômeno eletrobiológico altamente entrópico (isto é, que se desorganiza e desaparece rapidamente) ser convertido em um engrama[52] estável de memória, capaz de ser recuperado a qualquer momento em que a pessoa precise? Trata-se da mesma pergunta já abordada. A questão tem sido intensivamente estudada em várias regiões neurais em diferentes modelos animais, e muitas respostas têm aparecido.

Os mecanismos de longa duração envolvem enzimas como as proteínas-cinases e as fosfatases (aquelas que fosforilam e desfosforilam as proteínas, respectivamente), e também as proteases (aquelas que dividem as proteínas em moléculas menores) (**Figura 3.7**). Essas enzimas podem agir localmente no aparato sináptico, ou mover-se até o núcleo neuronal[53], bloquear os repressores da transcrição de DNA e ativar os ativadores da transcrição (é isso mesmo: ativar os ativadores...) nesse local. Esse processo resulta na mobilização da maquinaria genética para provocar nova síntese de proteínas. A maquinaria genética está situada principalmente no núcleo do neurônio, mas já se sabe que há mecanismos de síntese proteica também nas espinhas dendríticas e nos terminais axônicos pré-sinápticos, que resultam na inserção de receptores na membrana pós-sináptica (**Figura 3.6B**), ou no aumento da liberação de neurotransmissores. Esses mecanismos resultam no prolongamento da resposta pós-sináptica que é característico da LTP e da LTD. Mais eficaz e duradouro é o aumento da expressão gênica, a partir do núcleo, que produz novos RNAs mensageiros e proteínas, levados de volta às sinapses originalmente ativadas (**Figura 3.7**). Supõe-se que estas teriam sido "marcadas" pela informação

---

[51] G. L. Collingridge e cols. (2010); S. A. Connor e Y. T. Wang (2015). Duas revisões abrangentes sobre a LTD, seus mecanismos e seu papel na gênese das memórias.

[52] Termo simbólico que significa um traço unitário de memória, sem que se saiba precisar qual seja ele. Acredita-se que o termo tenha sido inspirado em *Mneme*, a deusa grega da memória.

[53] N. Panayotis e cols. (2015). Revisão sobre como a sinapse consegue "informar" o DNA de que uma informação relevante ocorreu e deve ser "preservada".

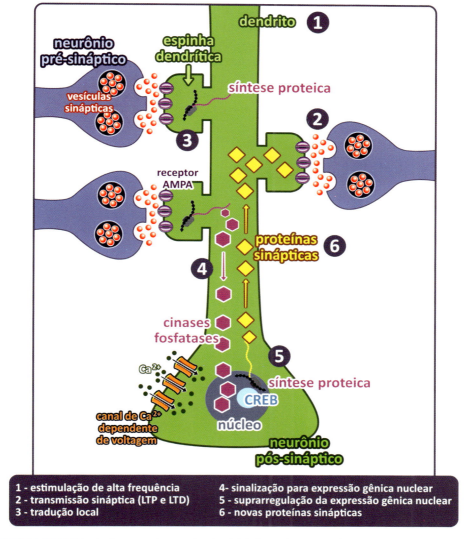

**FIGURA 3.7** | Principais mecanismos da plasticidade sináptica. 1: Os terminais pré-sinápticos disparam impulsos a altas frequências; 2 e 3: Ocorre transmissão sináptica química, e plasticidade sináptica de curta duração (LTP e LTD); 3: As espinhas dendríticas apresentam síntese ou ativação local de sinais proteicos; 4: Proteínas-cinases, fosfatases e outras proteínas são enviadas ao núcleo; 5: No núcleo, ocorre a suprarregulação da expressão gênica; e 6: Novas proteínas sinápticas são endereçadas às sinapses ativadas.

previamente transmitida nessas junções[54]. Na sequência, essas proteínas sintetizadas aumentam a adesão entre os neurônios conectados, multiplicam o número de sinapses entre eles, e assim fixam a informação original no cérebro.

---

[54] U. Frey e R.G. Morris (1997); K. P. Giese e K. Misuno (2013). O trabalho de 1997 demonstrou que as sinapses ativas são "marcadas" para que o neurônio subsequentemente endereçe a elas novas proteínas recém-sintetizadas. O artigo de 2013 faz uma revisão sobre os mensageiros que transmitem informação de mão dupla entre a sinapse e o núcleo do neurônio.

No fim das contas, as sinapses utilizadas e reutilizadas durante o processo de aprendizagem, tornam-se mais fortes e funcionais.

Pelo uso constante desses mecanismos da plasticidade sináptica, um neurônio torna-se capaz de aprender. Isso significa: ele é capaz de captar informação de outros neurônios e estocá-la durante algum tempo. Eventualmente, essa informação estocada é decodificada em sinais eferentes derivados do neurônio para alcançar outros em diferentes locais do cérebro.

# 4

# Circuitos Aprendizes

Um neurônio se modifica ao longo do tempo por influência do ambiente, você já viu. Mas talvez você não saiba que um neurônio modifica outro, esse outro modifica outros, e assim se forma uma cadeia inumerável de neurônios em comunicação dinâmica. São os circuitos aprendizes. Neste capítulo, você verá como é essencial que os neurônios conversem entre si, por meio de circuitos formados durante o desenvolvimento embrionário, e polidos pelo ambiente após o nascimento. Os circuitos aprendizes utilizam fortemente fenômenos plásticos para armazenar e recuperar informações. E isso pode ocorrer com os pequenos circuitos locais do cérebro, mas também com os circuitos longos que comunicam áreas cerebrais distantes.

## ⏩ QUEM SÃO OS CIRCUITOS APRENDIZES

Neurônios aprendem, mas não o fazem sozinhos. Não se trata apenas daquelas duplas de neurônios sinapticamente conectados mencionados antes, envolvidos nas mais simples formas de aprendizagem, mas de um bom número deles em conjunto. Formam circuitos com muitos outros neurônios e com células gliais[55,56], e são esses circuitos multicelulares que se tornam o repositório da informação estocada, característico da aprendizagem (**Figuras 4.1D e E**). A informação estocada em um neurônio a partir da informação de um outro é bastante simplificada, e não permite a aprendizagem de funções mais elaboradas. O crescimento da complexidade cognitiva e comportamental dos animais é então acompanhado pelo envolvimento de mais e mais neurônios em cadeias numerosas que formam circuitos também complexos.

Um neurônio típico do hipocampo ou do córtex cerebral, por exemplo, tem um prolongamento apical longo e profusamente ramificado, e prolongamentos basais orientados radialmente (ambos chamados *dendritos*)[57], cujos ramos são cobertos com grande número de protrusões chamadas *espinhas* (**Figuras 3.6 e 3.7**), já mencionadas. Cada espinha é um "lócus" sináptico, e recebe uma ou mais sinapses excitatórias formadas por fibras de outros neurônios[58]. Na ponta oposta ao dendrito apical, o neurônio forma um único prolongamento de saída (o axônio), que pode prolongar-se até regiões cerebrais distantes, mas que geralmente apresenta um certo número de ramificações locais que se irradiam para trás arborizando nas redondezas dos seus próprios ramos dendríticos.

Esse arranjo significa que um único neurônio recebe informação de milhares de outros, e transmite uma cópia da sua resposta de saída de volta a ele próprio e a outros neurônios situados nas redondezas. Um único neurônio cortical, portanto, não funciona sozinho no tecido cerebral, mas sim estabelece uma complexa circuitaria pela qual a informação é ativamente transmitida, e onde ocorrem os mecanismos de neuroplasticidade, em um nível acima da sinapse isolada. Um pequeno volume de um milímetro cúbico de neocórtex[59] pode alojar centenas de milhares de neurônios, e mais de 1,5 bilhão de sinapses[60]. Além disso, módulos neuronais têm sido identificados (por exemplo, as

---

[55] As células gliais são uma família de células que convivem com os neurônios em todas as regiões do cérebro. Já se pensou que seriam células de apoio para os neurônios, mas hoje se sabe que têm inúmeras funções, inclusive a de participar da transmissão de informações.

[56] L. P. Diniz e cols. (2014); R. D. Fields e cols. (2014). No primeiro artigo, o grupo brasileiro de Flavia Alcantara Gomes revê as evidências que atribuem a algumas dessas células (os astrócitos) uma importante participação na formação das sinapses durante o desenvolvimento. No segundo, um numeroso grupo de vários países salienta o papel das células gliais na aprendizagem e na cognição.

[57] L. M. Palmer (2014). Revisão bastante completa sobre o papel dos dendritos e suas espinhas na integração da atividade de neurônios piramidais do córtex cerebral.

[58] R. Yuste (2011). O artigo de Rafael Yuste discute as várias hipóteses para explicar por que os neurônios lançam mão de espinhas para incrementar sua capacidade de processamento sináptico.

[59] Neocórtex é o setor evolutivamente mais recente do córtex cerebral, que na maioria dos mamíferos representa a maior parte do cérebro.

[60] N. M. da Costa e K. A. C. Martin (2013). Os dois pesquisadores, trabalhando na Suíça, tentam propor estratégias para decifrar os circuitos dos módulos corticais.

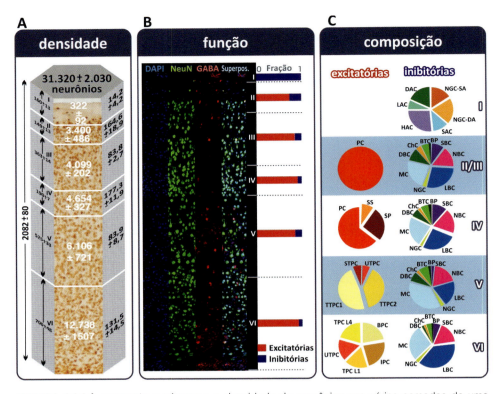

**FIGURA 4.1 |** A apresenta o número e a densidade de neurônios nas várias camadas de uma coluna do córtex somestésico do rato medindo aproximadamente 210 μm de raio na superfície. Em B, diferentes colorações mostram todas as células (DAPI, em azul), apenas os neurônios (NeuN, em verde), neurônios inibitórios (GABA, em vermelho), e a sobreposição dos dois últimos. Na foto superposta, os neurônios marcados em verde são excitatórios, enquanto aqueles marcados em azul-claro são inibitórios. Os histogramas à direita mostram que os neurônios excitatórios (barras vermelhas) são a maioria em todas as camadas. C apresenta as proporções dos subtipos de neurônios excitatórios e inibitórios, cada subtipo codificado por uma abreviatura. Figura modificada de H. Markram e cols. (2015), com a permissão do autor.

chamadas "colunas" do córtex visual, e os "barris" do córtex somestésico[61]), e sua organização estrutural e funcional é objeto de pesquisa em diferentes espécies, revelando às vezes uma composição celular uniforme, outras vezes heterogênea[62]. Esses módulos são vistos como unidades de processamento do cérebro (**Figura 4.1A**), alojando circuitos um tanto canônicos (padronizados) capazes de realizar computações semelhantes[63]. É concebível que eles representem um microcircuito unitário no processamento da memória pelo cérebro.

---

[61] Trata-se do córtex responsável pela sensibilidade corporal (tato, sensibilidade térmica, dor e outras).

[62] A. J. Rockel e cols. (1980); S. Herculano-Houzel e cols. (2008). Esses dois trabalhos espelham bem a controvérsia sobre a composição celular (homogênea ou heterogênea?) dos módulos corticais em roedores. O tema ainda está em discussão entre os cientistas.

[63] R. J. Douglas e K. A. C. Martin (2004). Revisão da literatura escrita pelos autores que lançaram a hipótese de que o circuito de um módulo cortical é "canônico", isto é, o mesmo em todas as regiões do córtex cerebral.

Além dos neurônios de tipo piramidal, cujas informações de saída ativam os neurônios pós-sinápticos e, portanto, os definem como excitatórios, os módulos corticais alojam também neurônios inibitórios (**Figura 4.1B**). Os excitatórios são glutamatérgicos, ou seja, empregam o aminoácido glutamato como neurotransmissor, enquanto os inibitórios são GABAérgicos, isto é, seu neurotransmissor é diferente, neste caso o ácido gama-aminobutírico[64]. Cada módulo, portanto, conta com uma combinação de elementos capazes de regular "para mais" ou "para menos" a excitabilidade neuronal. Assim, em um dado momento, a entrada de uma informação importante pode aumentar a excitabilidade de um grupo de neurônios do circuito, e em outro momento o inverso pode acontecer.

Além dos módulos com sua composição celular adquirida desde a formação do embrião, em algumas regiões particulares envolvidas com a aprendizagem há precursores neuronais em nichos específicos também na vida adulta, que proliferam para gerar novas populações de neurônios. Esse fenômeno é chamado neurogênese, significando a produção de novos neurônios a partir de células-tronco situadas nas proximidades. Há registro de neurogênese adulta no hipocampo não apenas de ratos e camundongos de laboratório, mas também no de seres humanos[65]. Outras regiões, como o neocórtex, têm sido sujeitas a uma intensa controvérsia a respeito da existência desse fenômeno tanto em animais como em humanos[66]. De qualquer modo, está estabelecido que novos neurônios são gerados e migram para os sítios corretos no giro denteado do hipocampo de roedores, lá amadurecem e se integram aos circuitos responsáveis pelos mecanismos da memória (**Figura 4.2C**). Assim, a proliferação neuronal mantida ao longo da vida adulta é um dos mecanismos capazes de explicar a aprendizagem ao nível celular de sua expressão, pelo menos em animais. E, além disso, a aprendizagem aumenta a neurogênese, por si só, o que cria um ciclo virtuoso para a otimização desse fenômeno[67].

## ▶ COMO APRENDEM OS CIRCUITOS APRENDIZES

Os circuitos cerebrais capazes de aprender são inumeráveis, como você pode imaginar. Já que os 86 bilhões de neurônios[68] do cérebro humano recebem, cada um deles, cerca de 10 mil sinapses, o número final de sinapses possíveis chega à faixa do quatrilhão! Então, a variedade de combinações é enorme, e ainda mais, sujeita a alterações plásticas, como estamos discutindo.

[64] Abreviado em inglês como GABA.

[65] G. Kempermann e cols. (2003); J. Ninkovic e cols. (2007); K. L. Spalding (2013). Os dois primeiros trabalhos abordam a neurogênese no hipocampo de roedores, e o terceiro confirma o fenômeno no hipocampo humano.

[66] P. Rakic (1985); F. C. Bandeira e cols. (2009); R. D. Bhardwaj (2006). Os dois primeiros artigos discutem a controversa ocorrência de neurogênese adulta no córtex cerebral de roedores, e o terceiro defende que o fenômeno não existe em humanos. Recentemente, a controvérsia se estendeu ao hipocampo, que era dado como certo, com resultados opostos publicados quase ao mesmo tempo por dois grupos de pesquisadores norte-americanos: Boldrini e cols. (2018), e Sorrells e cols. (2018).

[67] J. B. Aimone e cols. (2014); M. Opendak e E. Gould (2015). Discussão sobre o papel e os mecanismos da neurogênese adulta nos processos de aprendizagem e memória.

[68] O número redondo de 100 bilhões de neurônios era só redondo, mas não era correto, como nosso grupo de pesquisa demonstrou (Azevedo e cols., 2009). Quando achamos esse resultado, tive que modificar o título de um de meus livros, adicionando a ele um ponto de interrogação (Lent, 2010).

**44** **CAPÍTULO 4** | CIRCUITOS APRENDIZES

De que modo então esses circuitos aprendem? Como são ativados e modificados pela informação que vem do ambiente externo? Podemos utilizar um exemplo. Suponha que você se mude a uma casa nova, em um bairro que não conhece muito. Sua localização espacial a cada minuto, desde quando você foi lá pela primeira vez, é registrada por todo um sistema de circuitos localizados no lobo temporal medial do cérebro, envolvendo o famoso hipocampo, o córtex entorrinal ali perto, e outras regiões interligadas. Esse sistema de memória espacial foi identificado pelo neurocientista britânico-americano John O'Keefe e pelo casal de psicólogos noruegueses May-Britt e Edvard Moser, que por isso receberam em conjunto o prêmio Nobel de Fisiologia ou Medicina em 2014[69]. O'Keefe estudou neurônios do hipocampo de ratos que respondiam seletivamente a locais específicos das redondezas por onde andavam (na gaiola ou em campo aberto), e chamou-os células de local (*place cells*, em inglês). O rato passava por aquele ponto – o *campo local* do neurônio – e a célula aumentava a frequência de disparo de potenciais de ação, sinalizando que estava reconhecendo o ambiente. Como os campos locais de neurônios vizinhos não apresentavam relação topográfica geométrica, O'Keefe propôs que eles deveriam refletir uma espécie de mapa cognitivo do espaço frequentado pelo animal. Além disso, os campos locais de cada neurônio não eram inteiramente fixos, deslocando-se com o tempo para outras posições. O casal Moser acrescentou às células de local um outro tipo intrigante de neurônios: as células de quadrícula (*grid cells*, em inglês). Esses outros neurônios, identificados em uma região vizinha do córtex cerebral, que se liga fortemente ao hipocampo (córtex entorrinal), possuem seus campos espaciais na forma de padrões triangulares ou hexagonais (daí a referência a quadrículas). Disparam sempre que o rato passeia por um campo aberto e passa por pontos da arena distribuídos padronizadamente como se desenhassem coordenadas geométricas. Outros tipos "espaciais" de neurônios foram descritos como, por exemplo, células que disparam de acordo com a direção de movimento do animal, indicado pela posição de sua cabeça. Podemos concluir que temos em nossos lobos temporais um verdadeiro sistema GPS[70] para nos localizar adequadamente nos espaços que percorremos. A lógica desses circuitos se fecha quando observamos que os axônios do córtex entorrinal que projetam para o hipocampo são justamente aqueles estudados por Bliss e Lomo na descoberta da LTP!

De que modo então esses circuitos podem aprender?[71] Você percorre pela primeira vez as redondezas de sua nova moradia, e imediatamente o seu lobo temporal medial registra seu posicionamento, com as células de local aumentando o disparo para pontos específicos: a primeira esquina da rua, o prédio em frente ao seu, o poste à direita, e assim por diante. Como você agora passa por ali todo os dias, as sinapses desse sistema GPS aos poucos se tornam estáveis e fortalecidas, e mais um pouco a cada dia, de tal modo que

---

[69] J. O'Keefe e J. Dostrovsky (1971); M. Fyhn e cols. (2004): estes são os trabalhos pioneiros. Revisões recentes permitem uma visão mais abrangente: T. Hartley e cols. (2013); e M. B. Moser e cols. (2015).

[70] GPS = *global positioning system* ou, em português, sistema de posicionamento global.

[71] A. Holtmaat e P. Caroni (2016). Este artigo de revisão detalha como a aprendizagem modifica os circuitos neurais do cérebro.

um conjunto desses circuitos neurais acaba por se tornar permanente, gerando uma memória espacial específica das redondezas de sua casa. Basta agora que uma parte do circuito seja ativado, para ativar também todos os seus elementos. Ao lembrar o prédio em frente ao seu, você "reconstrói" na memória toda a geografia do local. Muitas pessoas lembram a rua em que moravam quando crianças, o apartamento em que residiam nessa época, o interior da sua escola e outros detalhes "geográficos" incríveis.

Tecnologias capazes de identificar neurônios ativos em cérebros de roedores vivos, como a optogenética e os genes-repórteres, permitiram uma comprovação positiva (ou "ganho-de-função"[72]) da existência de conjuntos neuronais aprendizes, especificamente relacionados à aquisição e recuperação de memória de medo. A optogenética permite que neurônios sejam modulados (ativados ou inibidos) quando diretamente estimulados por finíssimos feixes de luz. Além disso, os chamados genes-repórteres podem indicar quais neurônios estão ativos, pela emissão de fluorescência por parte destes. Desse modo, os conjuntos neuronais fluorescentes representam os circuitos ativados durante a aprendizagem (**Figura 4.2A e B**), porque podem ser reativados pela exposição à luz depois de aprenderem, e assim se relacionam com a recuperação (lembrança) da experiência prévia que armazenaram. Eles representariam o engrama de memória, isto é, o traço específico de memória estocado no cérebro após a experiência de medo do animal[73]. Falta ainda estender as mesmas observações aos seres humanos, para os quais não conseguimos ainda ferramentas capazes de registrar neurônios isolados, a não ser em situações muito excepcionais e limitadas (como neurocirurgias).

A neuroplasticidade de circuitos envolve não apenas uma combinação de LTP e LTD, mas também rearranjos estruturais que resultam da regulação da expressão gênica como descrito acima. Novas espinhas dendríticas podem aparecer após a indução de plasticidade, e as espinhas existentes podem crescer, retrair-se ou assumir uma certa morfologia (espinhas tipo "cogumelo") associada à plasticidade e à consolidação da memória[74]. A plasticidade estrutural adiciona estabilidade e permanência à plasticidade funcional.

Além disso, é preciso considerar as células gliais. Essas células, especialmente aquelas chamadas astrócitos[75], têm um papel importante na expansão e delimitação do território dos circuitos aprendizes (**Figura 4.3**). São estrategicamente posicionadas de modo a acoplar sinapses em um amplo domínio espacial que se torna capaz de uma poderosa estocagem de informação, muito maior do que poderiam proporcionar as vias unidirecionais de

---

[72] Essa expressão diz respeito a experimentos com animais, em cujo genoma é possível inserir genes novos e, assim, observar as consequências funcionais deles nos diversos sistemas fisiológicos. Opõe-se aos experimentos de "perda-de-função", nos quais, ao contrário, um ou mais genes são deletados, observando-se nesse caso as consequências de sua ausência.

[73] X. Liu e cols. (2012; 2014). Dois artigos do grupo que conseguiu visualizar por fluorescência um circuito de neurônios ativo no processo de estocagem de um engrama de memória.

[74] F. Engert e T. Bonhoeffer (1999); J. N. Bourne e K. M. Harris (2007); Y. Bernardinelli e cols. (2014a;b). Trabalhos que discutem as alterações micromorfológicas que ocorrem como expressão da neuroplasticidade celular.

[75] Há outros tipos de células gliais, como os oligodendrócitos e os microgliócitos, também dotados de formas próprias de plasticidade.

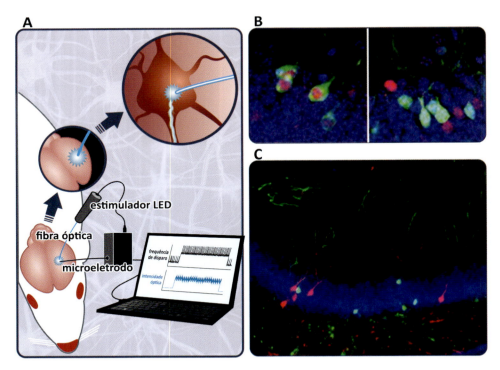

**FIGURA 4.2 |** Os genes repórteres inseridos no DNA dos neurônios expressam moléculas que fluorescem quando o neurônio entra em atividade, que pode ser provocada por um estímulo luminoso direto. É o que está esquematizado em **A**, que mostra uma finíssima fibra óptica e ao mesmo tempo um microeletrodo, ambos inseridos no cérebro de um rato. A fibra óptica ativa moléculas específicas que por sua vez ativam ou inibem os neurônios, e o microeletrodo registra isso no computador ao lado. Em **B**, os neurônios verdes são os que entraram em atividade em um experimento de condicionamento de medo. **C** apresenta, em vermelho, neurônios recém-nascidos (em vermelho) no hipocampo do rato adulto, incorporados aos circuitos de memória dessa região cerebral. Fotos em **B** reproduzidas de Liu e cols. (2012), e **C** reproduzida de T. Nakashiba e cols. (2012).

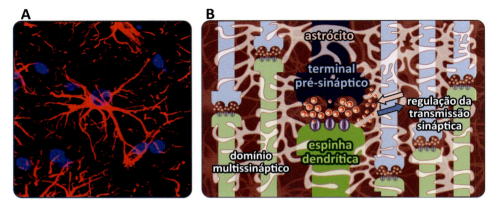

**FIGURA 4.3 |** Domínios gliais. **A** mostra o domínio glial definido por um astrócito (corado em vermelho sobre as células da região em azul). Imagem cedida por Flavia Gomes e Isadora Matias, do Instituto de Ciências Biomédicas da UFRJ. **B** apresenta o domínio glial astrocitário em rosa, salientando a participação glial no processamento sináptico do território.

comunicação sináptica[76]. Estima-se que um único astrócito no córtex cerebral humano é capaz de integrar cerca de 2 milhões de sinapses. Esse arranjo espacial no cérebro parece ser importante, por exemplo, quando uma aprendizagem perceptual depende do contexto em torno do alvo da percepção. As funções conhecidas dos astrócitos, como controlar as concentrações extracelulares de potássio, remover/secretar neurotransmissores excitatórios de/para a fenda sináptica, e prover comunicação rápida e sincronizadora via junções comunicantes[77], são compatíveis com esse controle local da rede, necessário para a regulação temporal do fluxo de informação. Tanto quanto os neurônios, demonstrou-se também que os astrócitos passam por alterações estruturais após a LTP, aumentando a cobertura de volume e a estabilidade prolongada dos circuitos sinápticos.

---

[76] N. A. Oberheim e cols. (2006); R. D. Fields e cols. (2014). Conceituação do astrócito como célula delimitadora de espaços celulares de estocagem de informação.

[77] M. Froes e J. R. L. Menezes (2002). Presença e funções de junções comunicantes que estabelecem um tipo de comunicação entre astrócitos e neurônios.

# 5

# Redes Dinâmicas

Os circuitos neurais são ligações entre neurônios, vizinhos ou distantes. Mas há multidões desses circuitos ligando em várias combinações as diferentes áreas do cérebro, ativas em cada situação funcional: são as redes neurais. Neste capítulo, vamos analisar as redes um nível acima dos circuitos neurais. Tais redes envolvem milhões de circuitos, e estão na base do que se chama processamento de informações cognitivas pelo cérebro. Além disso, apresentam também grande plasticidade, isto é, modificam sua participação relativa em cada circunstância funcional e "aprendem" com a repetição e a experiência.

Se fossem concebidas apenas como funções dos microcircuitos neurais, a aprendizagem e a memória seriam ainda limitadas a domínios funcionais muito específicos: a visão de formas elementares, por exemplo, ou a audição de tons isolados. No entanto, cada simples episódio envolvendo aprendizagem em humanos requer a interação de uma enorme diversidade de funções. Considere, por exemplo, uma criança tentando aprender a escrever. Ela tem que coordenar a postura, sentada à mesa, com o movimento do braço e dos dedos para segurar o lápis, e ainda realizar os movimentos corretos sobre o papel. Além disso, deve controlar seus atos visualmente, ouvir e prestar atenção nos comandos do professor (e não na bagunça do colega ao lado...), compreender seu significado, refletir sobre eles e transformar seus pensamentos em palavras escritas. Isso sem falar no grande número de comportamentos e pensamentos outros que ela deve inibir – tantas brincadeiras! – para concentrar nessa tarefa. Praticamente todos os domínios funcionais do cérebro estão envolvidos!

Portanto, é mais realista concluir que a aprendizagem envolve não apenas neurônios e sinapses isolados, e não apenas circuitos neurogliais dentro de módulos cerebrais, mas um conjunto de diferentes áreas do cérebro que constituem redes[78]. Áreas cerebrais são conectadas por feixes de substância branca de longa distância, e portanto, se queremos compreender os mecanismos de plasticidade que estão na base de comportamentos complexos, devemos ter em vista a possibilidade de que esse fenômeno ocorra nessas longas vias também, e não apenas dentro dos pequenos módulos, um conceito a que chamamos *plasticidade de longa distância*[79].

## ■» ÁREAS CEREBRAIS EM AÇÃO

Quando dizemos que uma área cerebral está ativada, isso significa que milhões de neurônios estão produzindo impulsos nervosos em proporções maiores do que antes. Esses impulsos são conduzidos pelos axônios a neurônios situados nas vizinhanças dentro dessa mesma área, a células nervosas situadas à distância em outras áreas cerebrais, ou mesmo para fora do cérebro, até os diversos órgãos que compõem o corpo. Imagine então a complexidade da sinalização cerebral: bilhões de neurônios produzindo minúsculos potenciais bioelétricos em suas membranas, potenciais que circulam em todas as direções possíveis e imagináveis dentro do tecido nervoso. Quando um pesquisador utiliza um *eletrodo* para registrar a ocorrência de um potencial de ação, esse eletrodo tem que ter uma ponta condutora muito pequena (da ordem de poucos micrômetros[80] de diâmetro, com o restante isolado eletricamente, para que os milivolts produzidos pelo neurônio possam ser captados, amplificados e levados a um computador para análise. Se os milhões de neurônios em uma região cerebral tivessem axônios dispostos em uma única direção, e seus potenciais

---

[78] A. W. Gilmore e cols. (2015). Proposição de uma rede de áreas cerebrais devotadas ao processamento da memória em seres humanos. Um bom exemplo de rede. Alguns outros são descritos no texto.
[79] F. Tovar-Moll e cols. (2014). Neste trabalho, nosso grupo estudou pacientes nascidos sem um dos principais feixes de fibras do cérebro, propondo a existência de mecanismos de reorganização de circuitos longos na substância branca cerebral, ou seja, a plasticidade de longa distância.
[80] 1 micrômetro é igual a um milésimo do milímetro!

**52** CAPÍTULO 5 | REDES DINÂMICAS

de ação fossem produzidos todos ao mesmo tempo, a sua soma poderia ser captada até por eletrodos maiores, menos sensíveis. Mas não é isso que ocorre: nem os axônios se estendem na mesma direção, nem os seus potenciais de ação são simultâneos. Muito pelo contrário, existem axônios apontando para todas as direções e disparando de um modo que à primeira vista parece completamente desarticulado. Mas não é desarticulado: mesmo sendo milhões, é comum haver padrões no disparo neuronal, e assim os potenciais acabam se somando ou se subtraindo de modo organizado, causando ondas de uma certa magnitude que podem ser captadas por eletrodos posicionados até mesmo de fora do cérebro, na superfície do crânio: é o que se chama eletroencefalograma (EEG) (**Figura 5.1A**).

Por exemplo: enquanto você está lendo estas páginas, as regiões visuais e da leitura do seu córtex cerebral estão recebendo uma alta frequência de potenciais de ação. Em consequência, disparam mais também, resultado do processamento visual e linguístico que estão realizando. Então, a soma algébrica de seus impulsos vai ficando tão grande que pode até passar através do crânio e ser identificada no EEG, como mencionamos acima. Se agora você começar a ler em voz alta, as regiões da fala se adicionam às primeiras, entrando também em maior atividade, e novamente isso pode ser observado no EEG. Por isso, essa técnica de registro tem sido utilizada há quase cem anos para identificar regiões ativas no cérebro humano. É conveniente porque os eletrodos são colocados sobre o crânio, sem exigir qualquer tipo de procedimento cirúrgico invasivo para chegar ao tecido cerebral.

O EEG detecta as variações temporais da atividade cerebral com razoável precisão, mas como o faz externamente ao cérebro, a partir do crânio, não se pode saber com a mesma precisão de qual setor cortical exatamente essa atividade se origina: no jargão técnico, isso se chama uma boa *resolução temporal*, com uma *resolução espacial* insuficiente. O mesmo pode ser dito do magnetoencefalograma (MEG), técnica que registra os campos magnéticos produzidos pelas correntes elétricas que circulam pelo cérebro.

A baixa resolução espacial do EEG e do MEG foi contornada quando surgiram as técnicas de imagem baseadas na medida do "sinal BOLD"[81]: a ressonância magnética funcional (RMf) e a espectroscopia funcional de infravermelho próximo (fNIRS) (**Figuras 5.1B e C**). Neste caso, a atividade elétrica dos neurônios não é captada diretamente. O que a fNIRS e a RMf registram é o aumento do fluxo sanguíneo regional que ocorre nas regiões que apresentam aumento da atividade neuronal. É que as células muito ativas no cérebro apresentam alto metabolismo e gasto de energia, e a reposição é feita por um aumento localizado do fluxo sanguíneo arterial. Mais sangue na área, mais hemoglobina circulando (**Figura 5.1C**, à direita). E como a hemoglobina tem a propriedade de "responder" a um pulso magnético, os equipamentos de fNIRS ou de RMf reconhecem as áreas de maior fluxo sanguíneo, ou seja, as que estão mais ativas. Mais ativas, neste caso, não significa predomínio das sinapses excitatórias, necessariamente. Pode também envolver uma grande atividade dos neurônios inibitórios, e essa é uma dificuldade que essas técnicas não conseguem resolver. A grande vantagem, no entanto (principalmente da RMf),

---

[81] Abreviatura da expressão em inglês *Blood Oxygenation Level Dependent*".

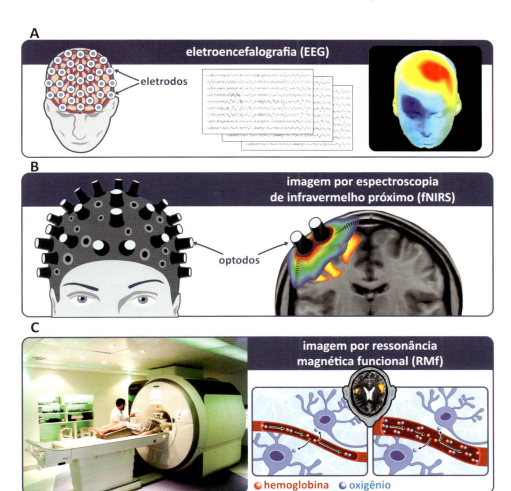

**FIGURA 5.1** | Técnicas de registro da atividade funcional do cérebro. **A.** Eletroencefalografia: alta resolução temporal, baixa resolução espacial, alta portabilidade, baixo custo. A imagem de baixa precisão (à direita) reflete as alterações de atividade elétrica neural (ao centro) captadas por eletrodos sobre o crânio (à esquerda). **B.** Neuroimagem por espectroscopia de infravermelho próximo: boa resolução temporal, razoável resolução espacial, alta portabilidade, custo razoável. A imagem (à direita) registra a absorção seletiva local de infravermelho pela hemoglobina circulante no cérebro, detectada na superfície do crânio por optodos. **C.** Neuroimagem por ressonância magnética funcional: baixa resolução temporal, alta resolução espacial, falta de portabilidade, alto custo. A imagem registra as emissões magnéticas da hemoglobina no cérebro, consequentes às alterações do fluxo sanguíneo local relacionadas à atividade neural (esquema à direita). Foto em **C** e imagens em **A** e **B** cedidas por Bruno Melo e Theo Marins, do Instituto D'Or de Pesquisa e Ensino.

é que o computador que realiza o processamento desses sinais fornece uma imagem anatômica precisa e detalhada do cérebro, e sobre ela "pinta" com cores quentes (vermelho, laranja, amarelo) as partes mais ativas do córtex. A resolução espacial da RMf é excelente, embora a resolução temporal não seja tão boa quanto no caso do EEG, já que a imagem requer um tempo maior para ser obtida. Igualmente ao que ocorre no EEG, no entanto, é possível verificar que o fluxo sanguíneo regional – e, portanto, a atividade neural – oscila no tempo, o que pode ser também observado no registro da RMf. Essas oscilações nas diferentes áreas cerebrais permitem relacionar as áreas, concluindo que a sincronia de suas oscilações deriva de estarem em comunicação, envolvidas na mesma função. Veremos mais adiante como isso pode ser útil na interpretação das funções das redes neurais.

Se você já fez um exame de ressonância magnética, no entanto, ainda que apenas morfológico, pode ter ideia da principal desvantagem dessa técnica: requer um equipamento de grande porte para produzir e captar os campos magnéticos necessários, dificultando muito a sua utilização em experimentos realistas (**Figura 5.1C**, à esquerda). É fácil entender: como vamos estudar a aprendizagem de uma criança no ambiente escolar, se apenas podemos fazê-lo dentro de um enorme tubo barulhento? Uma alternativa a essa dificuldade é oferecida pela fNIRS (**Figura 5.1B**), que não apresenta a mesma precisão anatômica da RMf, mas tem uma melhor resolução temporal e, acima de tudo, portabilidade: pode ser utilizada por meio de uma touca contendo os dispositivos de registro, chamados *optodos*. É crescente a sua utilização em estudos de funções cerebrais realizados em condições ambientais mais realistas.

Várias outras técnicas podem ser utilizadas na busca de indicadores funcionais e anatômicos da operação das regiões cerebrais. Podemos identificar e registrar a direção dos movimentos oculares (*rastreamento ocular*) e o diâmetro pupilar (*pupilometria*), e assim avaliar o foco e o grau de atenção das pessoas, respectivamente. E podemos medir a condutância elétrica da pele das mãos (*registro eletrodérmico*), alterada por microgotas de suor que aparecem quando vivenciamos uma emoção. Também somos capazes de estimular o cérebro com correntes elétricas e campos magnéticos[82], para "imitar" o que ocorre quando uma região se comunica com outra e para produzir movimentos que simulam aspectos motores do comportamento. Muitas dessas técnicas podem ser utilizadas em conjunto no mesmo experimento.

Assim, já são inúmeras as tecnologias disponíveis para o estudo neuropsicológico das atividades humanas, e quando os dados obtidos são relacionados aos experimentos com animais, é possível reunir um conjunto de informações bastante impressionante para entender a neuroplasticidade das redes dinâmicas do cérebro. Vamos abordar a seguir algumas das principais redes funcionais, ativas em algumas funções que os seres humanos são capazes de realizar. Depois examinaremos como a aprendizagem e o treinamento dessas funções modificam as redes e moldam as capacidades de cada indivíduo, em relação aos demais.

## ▬▶ O CONCERTO DAS ÁREAS CEREBRAIS

No cérebro humano, as diversas áreas cerebrais funcionam articuladamente quando é necessário realizar uma determinada função. Isso significa que nesse momento algum tipo de sincronia aparece entre elas, um verdadeiro concerto como numa orquestra. Não é necessário que todos os instrumentos toquem ao

---

[82] Essas duas técnicas são chamadas, respectivamente, *estimulação transcraniana de corrente contínua* (conhecida como tDCS, também da expressão em inglês), e *estimulação magnética transcraniana* (conhecida pela abreviação em inglês, TMS).

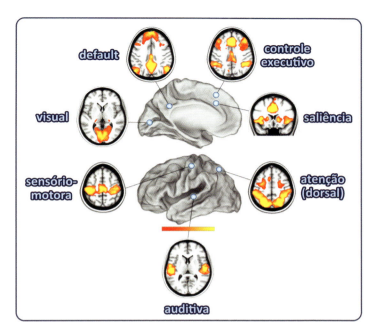

**FIGURA 5.2 |** As redes de repouso no cérebro humano podem estar ligadas a áreas funcionais específicas. São ativas quando o indivíduo não realiza nenhuma tarefa, e são desativadas quando alguma tarefa é solicitada. As regiões em amarelo são aquelas que mantêm uma atividade sincrônica. Os pontos azuis indicam a área cerebral predominante em cada caso. A rede padrão (default) está indicada acima à esquerda. Modificado de M. Raichle (2015), com a permissão do autor.

mesmo tempo ou a mesma melodia: mas é imprescindível que toquem de um modo articulado para que o produto final – a obra musical que ouvimos – faça sentido. Essa sincronia funcional da atividade neural é detectada pelas técnicas de registro, como descrevemos acima, e tanto pode ser analisada quantitativamente como ser relacionada às regiões anatômicas do cérebro.

Incrivelmente, existem redes funcionais ativas sincronicamente mesmo na ausência de tarefas específicas identificadas, como é o caso da famosa *rede de modo padrão* (*default mode network*, DMN, na terminologia em inglês[83]) (**Figura 5.2**). Essas redes podem ser registradas em imagens por ressonância magnética funcional, mesmo quando o sujeito não tem em mente nenhuma tarefa específica, permanecendo de olhos fechados ou fixando algum ponto no espaço. A DMN é muito consistente entre diferentes sujeitos, por isso se acredita que seja devotada a pensamentos divagantes, algo que todos nós praticamos em muitos momentos[84]. Além da DMN, várias outras redes de repouso foram

---

[83] M. E. Raichle e cols. (2001); K. C. Fox e cols. (2015); M. E. Raichle (2015). O primeiro desses dois trabalhos descreveu originalmente a existência de uma rede funcional de repouso no cérebro humano, uma descoberta surpreendente que levou a inúmeras especulações sobre a sua função. Os dois outros são revisões da literatura que discutem as características e possíveis funções da rede funcional de repouso.

[84] Essa explicação instigante, no entanto, é questionada pela observação de que a rede se mantém durante anestesia geral e no início dos períodos de sono, como demostrado por M. D. Greicius e seus colegas (2008).

**CAPÍTULO 5** | REDES DINÂMICAS

identificadas[85], envolvidas com funções como atenção, controle cognitivo, saliência[86], processamento sensorial e motor (**Figura 5.2**).

Diferentemente das redes de repouso, que parecem manter uma "conversa" entre áreas cerebrais que compartilham uma mesma função, outras redes funcionam articuladamente **durante** a execução de cada uma das inúmeras tarefas de que somos capazes. É o que acontece com a prática de um esporte, o uso de um instrumento musical, a leitura de um livro, um passeio no centro da cidade, a compra de alimentos no supermercado, e tantas outras. Impossível listá-las todas, embora algumas sejam funcionalmente essenciais, e por isso recebem nomes específicos, como se verá adiante. Em cada uma delas, são muitas as áreas cerebrais ativas, articuladas para integrar todos os aspectos funcionais necessários à realização dessas tarefas. Todas elas, entretanto, têm aspectos comuns: geralmente há aquisição de informações provenientes do ambiente (pelos nossos canais sensoriais e perceptuais), e geralmente há algum tipo de expressão motora (o comportamento). Geralmente apenas, porque às vezes ativamos intensamente nosso cérebro em um ambiente com pouca estimulação, como acontece quando nos preparamos para dormir, na escuridão do quarto, mas pensamos nos acontecimentos do dia, imaginamos o que teremos a fazer no dia seguinte, e tantas outras coisas. Também pode acontecer o contrário: ativamos fortemente nossos canais perceptuais ao assistir a um filme na TV, ao mesmo tempo que relaxamos, devidamente escarrapachados no sofá, sem necessariamente exercer grande atividade motora. De qualquer modo, o conjunto das áreas cerebrais envolvidas é sempre múltiplo, confirmando que o cérebro atua em rede, articuladamente.

Ocorre que as pessoas exercem mais comumente um tipo de atividade do que outras, em função de sua idade, suas preferências, suas profissões. Uma criança move-se mais (e como!) que um idoso. Um guitarrista usa mais intensa e agilmente as mãos do que as pernas, enquanto um jogador de futebol (se não for o goleiro...) faz o contrário. Uma pessoa prefere caminhar na cidade ou no campo para conhecer lugares novos, enquanto outra satisfaz-se dentro de casa com um bom livro ou assistindo filmes. Essas diferenças individuais, construídas ao longo da vida, vão tornando também ligeiramente diferentes as redes ativas de cada pessoa: maior atividade nas regiões motoras em umas, nas regiões da linguagem em outras, nas áreas visuais ou auditivas em um terceiro grupo, e assim por diante.

Como o cérebro é finito, a construção dessas diferenças de comportamento e personalidade exige um "gerenciamento" da neuroplasticidade: se as regiões motoras são mais ativadas durante a vida, geralmente ocupam mais espaço no cérebro do que outras; se maiores níveis de atividade são dedicados às regiões da leitura, sua ocupação se dá em detrimento de outras regiões cerebrais. Por isso, é apenas uma forma de expressão dizermos "fulano é inteligente". Na

---

[85] M. E. Raichle (2011). Revisão importante escrita por um dos mais destacados pesquisadores dessa área.

[86] Saliência aqui não é o que você está pensando. Em geral, significa proeminência de algo. Em psicologia, refere-se à propriedade de um estímulo em sobressair-se à percepção, o que é altamente relevante nos mecanismos de atenção. Saliência de incentivo é um termo usado para descrever um mecanismo cognitivo que confere uma atração especial – é, portanto, um elemento motivador da percepção e do comportamento.

verdade, todos somos "inteligentes em alguma coisa", ou seja, aprendemos a desenvolver mais fortemente um aspecto, em detrimento de outros[87]. É claro, no entanto, que as variações são muitas, e se estendem desde as pessoas de alto desempenho em sua área mais eficaz de atuação, até as que sofrem transtornos neuropsiquiátricos e apresentam deficiências observáveis em algumas ou muitas funcionalidades.

## ▓▷ LINGUAGEM ORAL EM REDE

Uma das redes funcionais mais evidentes no cérebro humano é a da linguagem oral. Nascemos com um cérebro "planejado" para falar, e adquirimos essa capacidade sem maiores necessidades de treinamento específico, muito antes de aprendermos a ler, escrever ou abotoar a camisa[88]. A linguagem oral é considerada uma característica biológica do homem, organizada estruturalmente no cérebro apesar da modulação cultural que produziu as mais de 6.000 línguas ainda vivas no mundo atual. Essa característica representa um impressionante ganho evolutivo do cérebro humano, sem paralelo nas demais espécies, e cuja determinação genética é tema de grande discussão entre os cientistas[89].

A primeira definição das áreas cerebrais envolvidas com a linguagem oral proveio da observação de pacientes com lesões do córtex cerebral, realizadas por neurologistas do século XIX como o francês Pierre-Paul Broca (1824-1880) e o alemão Karl Wernicke (1848-1905)[90] (**Figura 5.3A**). Broca descobriu que a "área de expressão da fala", como ele conceituou, se localizava numa região específica (mas mal definida) do hemisfério esquerdo, chamada região do *opérculo frontal inferior*. Os pacientes com lesões ali tornavam-se incapazes de falar. Já Wernicke descobriu que existia uma área mais atrás, também no hemisfério esquerdo, na margem posterior do sulco lateral, responsável pela "compreensão da fala" (região *temporoparieto-occipital*[91]). Essa ampla região descrita por Wernicke era ainda mais mal definida do que a área de Broca, que a precedeu. Pacientes com lesões nessa região não conseguiam mais compreender bem a fala de seus interlocutores. Como todos os neurologistas da época, Wernicke era também um aplicado anatomista. Dissecando cérebros humanos, redescobriu um feixe de fibras descrito no início do século XIX, que parecia conectar essas duas regiões e suas vizinhanças: o *feixe arqueado*[92].

---

[87] A formalização mais importante dessa ideia deve-se a Howard Gardner, psicólogo da Universidade Harvard, que desenvolveu o conceito de inteligências múltiplas para dar conta dessa ampla variedade humana. Ver, por exemplo, Gardner (2000).

[88] A. Buchweitz e cols. (2017). Esta é uma revisão bastante didática sobre a aquisição da linguagem e a aprendizagem da leitura, com uma abordagem neuropsicológica.

[89] R.R. Garcia e cols. (2014). Neste artigo, o grupo chileno de Francisco Aboitiz elabora uma hipótese evolutiva baseada na plasticidade dos circuitos cerebrais para explicar a aquisição da linguagem oral pela espécie humana.

[90] Os artigos originais de Broca e de Wernicke foram publicados, respectivamente, em 1861 e 1874, e se encontram citados ao final do livro, para quem se interessa por leituras históricas importantes.

[91] Esse nome comprido e composto indica que se trata de uma região de confluência entre os três lobos nominados: temporal, parietal e occipital.

[92] O feixe arqueado foi descoberto, em 1809, pelo médico alemão Johann Christian Reil (1759-1813), e recebeu esse nome 10 anos depois, de outro médico e anatomista alemão, Karl Friedrich Burdach (1776-1847).

**58** CAPÍTULO 5 | REDES DINÂMICAS

Trata-se de um feixe tipicamente humano, ausente ou discreto em outros primatas. Tudo parecia fazer sentido. A pessoa que ouvisse alguém falar utilizaria a área de Wernicke para compreender o conteúdo. E se quisesse repetir ou comentar alguma coisa a respeito poderia utilizar a área de Broca, porque esta teria tomado conhecimento do conteúdo por meio do feixe arqueado. Esse modelo interessante, mas simplista[93], ficou conhecido como *modelo clássico da linguagem* (**Figura 5.3A**), e frequentemente leva o nome de seus autores.

Ocorre que quando alguém lhe fala alguma coisa, a primeira função mobilizada em você é a audição, e por isso várias regiões são ativadas em sequência, desde as células receptoras do ouvido interno até chegar a um conjunto de áreas do córtex cerebral. Os neurônios que conduzem a informação ouvida, devidamente codificada em impulsos nervosos, a enviam até as regiões do tronco cerebral que executam as primeiras fases do processamento auditivo, e o código que representa o que você ouviu segue rumo ao córtex cerebral, passando por diversos estágios sinápticos antes de chegar lá, envolvendo um número de feixes muito maior do que simplesmente o feixe arqueado descrito no modelo clássico (**Figura 5.3B**). A primeira região cortical ativada é o chamado *córtex auditivo primário*, no giro temporal superior à margem do sulco lateral do cérebro (**Figura 5.3C**). Esta região apenas "decifra" as propriedades físicas do som ouvido. Mas é preciso logo discernir se se trata de um ruído ou de uma voz cujo conteúdo linguístico você deve compreender. São mobilizadas então regiões concêntricas à volta da área auditiva primária, até chegar às regiões classicamente reunidas na área de Wernicke. Quando finalmente as informações auditivas são identificadas como linguísticas, é possível decifrar o seu conteúdo. Até esta etapa, uma lesão nessas regiões auditivas secundárias (um "anel" em torno da auditiva primária) pode causar um fenômeno intrigante, chamado "surdez linguística". A pessoa é capaz de ouvir normalmente, mas não consegue distinguir se se trata de uma voz humana cujo conteúdo deve lhe interessar, ou de um som sem significado linguístico. Não há dificuldade, entretanto, para identificar sons musicais ou de outra natureza, porque eles são processados em outras regiões.

A rede da linguagem oral não para por aí. Compreender o conteúdo do que ouvimos – e falar para manter a conversa – é uma tarefa bastante complexa, e não se resume apenas a identificar os fonemas sucessivos, juntá-los em palavras e frases. É preciso consultar os chamados *léxicons* (dicionários mentais), que armazenam as memórias chamadas semânticas (os tais conteúdos do que foi dito), mas também ao mesmo tempo as memórias sintáticas (sem as quais não se pode compreender o sentido das frases), e fonéticas (que permitem discernir pequenas nuances de pronúncia que podem mudar o sentido das frases). Os léxicons semânticos mobilizam uma extensa área que ocupa as regiões inferiores do lobo temporal (**Figura 5.3C**), onde ficam armazenadas as faces de pessoas nossas conhecidas, as ruas de nosso bairro, os utensílios domésticos, os nomes das frutas, e centenas de milhares de conteúdos que aprendemos ao longo da vida. Os léxicons sintáticos ficam representados no lobo frontal, bem

---

[93] P. Hagoort (2014). Esta é uma ótima e concisa revisão do modelo clássico e sua superação por alternativas mais modernas.

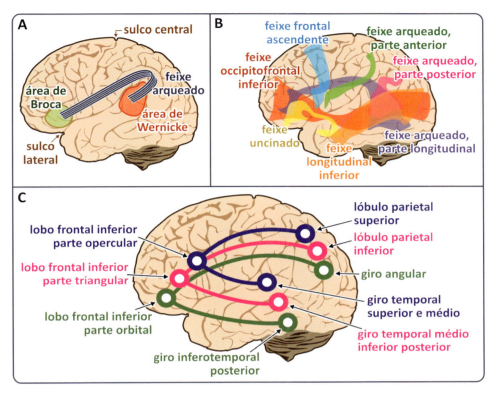

**FIGURA 5.3 |** A rede da linguagem oral, segundo o modelo clássico (**A**), e as alternativas mais modernas (**B** e **C**). **B** mostra os circuitos envolvidos na rede da linguagem oral, enquanto **C** mostra a maioria das áreas ativadas nas operações linguísticas.

à frente da clássica área de Broca (**Figura 5.3C**). As pessoas que sofrem lesões nessa parte do cérebro podem apresentar agramatismo, ou seja, dificuldades de interpretar e de emitir frases gramaticalmente corretas. "Pedro ouviu Isabel" é diferente de "Isabel ouviu Pedro". Uma simples inversão entre sujeito e objeto muda o sentido da frase. E finalmente, os léxicons fonéticos ficam próximos à área de Wernicke clássica, situados na junção de limites mal definidos entre o lobo temporal, o lobo occipital e o lobo parietal (**Figura 5.3C**).

Perceba que até agora, para você compreender o que o seu interlocutor lhe disse, já foi envolvida uma cadeia ascendente de inúmeras áreas subcorticais, grandes extensões do lobo temporal esquerdo, uma parte importante do lobo frontal lateral inferior e regiões do lobo parietal. Mas não é só isso: para compreender o que ouviu, você precisa prestar atenção no seu interlocutor, inibindo os demais sons ambientes. Depois será preciso talvez parar um pouco o que estava fazendo, e certamente aguardar ele terminar para responder. A isso se chama *controle executivo*, uma função que envolve regiões pré-frontais bem atrás da órbita ocular (*córtex orbitofrontal*), e outras mais mediais situadas na face vizinha ao hemisfério oposto (*córtex cingulado anterior*). Essas regiões se comunicam com as regiões posteriores, e são capazes

## 60 CAPÍTULO 5 | REDES DINÂMICAS

de inibir (até mesmo bloquear) temporariamente parte de suas funções, para concentrar na tarefa linguística[94].

E tem mais! A fala do seu interlocutor pode vir carregada de emoções: ironia, zanga, amizade, amor, sabe-se lá. E você tem que distinguir não apenas o conteúdo literal do que ouviu, mas também o conteúdo oculto que revela intenções e sentimentos. A frase "eu te odeio" pode ser dita para expressar ódio, é claro, mas também ironicamente para comentar algum ato "errado" que você tenha feito antes, ou até mesmo para transmitir carinho por você (o contrário do significado literal!). Todo esse variável conteúdo emocional de uma simples frase está contido na entonação da mesma, na expressão facial do seu interlocutor, gestos e movimentos corporais. Esse aspecto da linguagem chama-se prosódia[95], é muito elaborado na espécie humana, e multiplica a riqueza de conteúdos da linguagem oral. Tão importante foi essa aquisição evolutiva, que ficou lateralizada no hemisfério direito, nas regiões homólogas às que acabamos de descrever no lado esquerdo.

Nossa rede da linguagem oral, desse modo, envolve na verdade uma grande variedade de áreas cerebrais que abrangem amplas extensões de território neural, funcionando de modo articulado, cada uma delas executando em paralelo e quase simultaneamente diferentes aspectos funcionais relativos à expressão e à compreensão da fala. A questão que veremos mais adiante é como essa rede pode se modificar como resultado de sua plasticidade.

A rede da linguagem oral, como tudo indica, representa uma arquitetura neural disponível a cada um de nós desde que nascemos, já que todos os seres humanos tornam-se capazes de falar sem grande necessidade de intervenção ambiental estruturada, a não ser a interação livre com outros falantes[96]. Mesmo assim, esta não é uma condição necessária, já que as pessoas nascidas surdas são também capazes de falar. Durante o desenvolvimento da criança, a interação com outras pessoas vai refinando a rede da linguagem oral, aperfeiçoando gradativamente a sua capacidade de expressão e de compreensão. Mais adiante voltaremos a esse aspecto.

Se a rede da linguagem oral é inata nos seres humanos, assumem grande interesse as redes de alta complexidade com determinação cultural, como as da leitura, da escrita e da aritmética. Redes relacionadas a essas funções complexas são particularmente instigantes, porque não podem ser explicadas pela seleção natural: a linguagem escrita é uma aquisição recente da cultura humana (cerca de 4 a 5 mil anos atrás), e a aritmética é ainda mais recente (não mais que 3 mil anos)[97]. São tempos muito curtos para que as pressões seletivas biológicas pudessem exercer a sua ação. Por essa razão, são consideradas produtos da cultura e, portanto, aprendidos durante o desenvolvimento pós-natal das crianças[98].

---

[94] No jargão técnico, isso se chama também controle descendente (*top-down control*, em inglês), em analogia e oposição à comunicação ascendente que mencionamos antes (*bottom-up*).

[95] E. Liebenthal e cols. (2016). Avaliação das vias e redes neurais envolvidas na relação da linguagem com as emoções.

[96] Algumas crianças apresentam dificuldades de vários tipos com a linguagem, mas esses casos são relativamente raros e encarados como transtornos do desenvolvimento.

[97] Isso sem falar que até 100-150 anos atrás, apenas uma ínfima minoria da humanidade tinha acesso à leitura e proficiência em aritmética.

[98] S. Dehaene e L. Cohen (2007). Interessante argumentação de que a neuroplasticidade está na base da "ocupação" de áreas cerebrais por produtos da cultura humana.

## ■ A REDE NEURAL DA LEITURA

Na vida adulta, um conjunto de regiões corticais no hemisfério esquerdo é consistentemente ativado quando se pede aos sujeitos para lerem alguma coisa, durante o registro de sua atividade cerebral por ressonância magnética ou outras técnicas. Em crianças pré-escolares que começam a aprender a ler, dados eletrofisiológicos mostraram que a função da leitura é inicialmente bilateral, tornando-se lateralizada depois, geralmente no hemisfério esquerdo, assim que adquirem essa competência seja no âmbito da família ou na escola. Além disso, a rede da leitura é consistente em várias culturas, com topografia semelhante nos cérebros de leitores do alfabeto japonês, chinês ou romano. Deve-se notar, nesse contexto, que a leitura é uma função complexa que envolve não apenas um componente perceptual especializado na identificação de grafemas e sua correlação com fonemas, mas também outros componentes diferentes, encarregados de movimentos oculares coordenados, da focalização atencional, da compreensão, imaginação, memorização...[99]. Por essa razão, muitas áreas corticais são ativadas simultaneamente quando uma tarefa de leitura é proposta a indivíduos com registro simultâneo de sua atividade cerebral por ressonância magnética. A arquitetura dessa rede é parecida, mas não idêntica, à rede da linguagem oral, dadas as semelhanças entre uma função e outra. Além disso, tudo indica que a rede da linguagem oral, que parece ter sido estabelecida biologicamente na espécie humana, serve como base para alojar a rede da linguagem escrita, estabelecida durante o desenvolvimento pós-natal com mediação da cultura e da educação[100]. É como se a rede da leitura aproveitasse as regiões conectadas da linguagem para realizar suas funções simultaneamente.

Mas, (re)comecemos do início. Para identificar letras, sílabas, palavras e frases, o nosso sistema visual precisa fixar o olhar, isto é, posicionar esses símbolos no centro da retina, que tem maior acuidade e é capaz de distinguir os pequenos detalhes que diferenciam um *a* de um *e*, ou um *p* de um *q*[101]. A seguir, a informação é codificada em impulsos nervosos, como sempre, e segue por um canal específico de identificação de formas que passa pelo tálamo, o estágio sensorial intermediário que antecede a chegada ao córtex cerebral. No córtex há uma sequência de áreas visuais encarregadas de diferentes aspectos da visão (forma, cor, movimento e outras), e cada aspecto é "interpretado" na sua região especializada. Na *região temporal inferior* do lado esquerdo, o neurocientista francês Stanislas Dehaene e seus colaboradores descreveram uma região ativa em pessoas alfabetizadas, que chamaram *área de reconhecimento visual da forma das palavras* (**Figura 5.4**). Essa área entra em ação sempre que os indivíduos são expostos a palavras escritas, mas muito menos ou nada mesmo, quando os estímulos são diferentes: faces, objetos e até mesmo algarismos arábicos. A área é tão eficiente que "reconhece" palavras apresentadas durante

---

[99] G. Jobard e cols. (2003); A. C. Vogel e cols. (2013). Trabalhos que mostram os diversos componentes funcionais que participam do ato de ler.

[100] Há uma interessante revisão sobre a transição da rede da linguagem oral para a da linguagem escrita, publicada por T. Horowitz-Kraus e J. S. Hutton (2013).

[101] No caso dos cegos, a entrada da informação escrita passa pelo canal tátil, utilizando geralmente o sistema desenvolvido por Louis Braille (1809-1852). As vias cerebrais parecem ser muito parecidas às dos videntes.

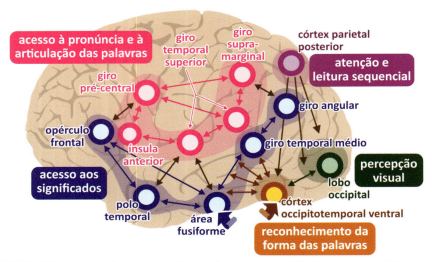

**FIGURA 5.4** | A rede da leitura envolve diversas funções compartilhadas para a habilidade de ler.

alguns milissegundos apenas – uma exposição verdadeiramente subliminar. As pessoas com lesões restritas a essa área apresentam uma síndrome chamada alexia pura, isto é, a incapacidade de ler, sem alteração de outras funções, inclusive falar, compreender a fala e até mesmo escrever! Obviamente, não está afastada a hipótese dessa mesma área cortical ser utilizada em outras funções analíticas semelhantes à leitura[102].

Mas a função da leitura não termina na identificação visual das palavras. É muito mais complexa e rica do que simplesmente essa etapa perceptual. É preciso compreender cada palavra, colocá-la no contexto de cada frase, a frase no contexto do parágrafo, e o parágrafo no contexto do trecho inteiro. Essas funções estão incluídas no que se chama, mais tecnicamente, processamentos *ortográfico, fonológico, sintático* e *semântico*[103]. É preciso também, como em toda função, focalizar a atenção no ato de ler, inibir parcialmente outros comportamentos que não sejam os de realizar movimentos oculares ao longo das linhas de texto, e mover as mãos para virar as páginas de livros físicos ou virtuais. Além disso, temos que consultar a memória operacional o tempo todo para dar continuidade ao fluxo de raciocínio da sequência do texto. Também a memória declarativa é acionada, primeiro para associar os dados novos com os antigos e compreender o que se lê, e a seguir para memorizar o conteúdo lido. Também durante a leitura podemos nos emocionar e expressar essa emoção. Quando a leitura é em voz alta, obviamente temos que falar para outros ouvirem ou como recurso de memorização (ler e ouvir são estímulos convergentes que se "somam" no ato de memorizar).

As áreas cerebrais que fazem parte dessa rede (**Figura 5.4**) são parecidas com as da linguagem (**Figura 5.3**), e também predominam no hemisfério

---

[102] É esse o questionamento de alguns autores, como A. C. Vogel e cols. (2014).
[103] O processamento ortográfico se refere à representação visual das palavras, o fonológico à conversão entre grafemas (letras, sílabas) e fonemas (sons), o sintático relaciona-se às regras de construção do idioma, e o semântico refere-se ao significado das palavras, frases e narrativas.

esquerdo na maioria das pessoas. O opérculo frontal ("área de Broca") participa das análises sintática e semântica, em conjunto com as áreas temporais inferiores, que hospedam os léxicons semânticos, conforme vimos. A análise ortográfica é realizada pela área visual de identificação da forma das palavras no lobo temporal mais posteriormente, e o controle executivo envolve regiões do córtex cingulado anterior, em conjunto com outras situadas no córtex pré-frontal lateral.

## ▶▶ A REDE DA MEMÓRIA

Levando em conta as redes acima descritas, será que seria possível identificar uma rede em pleno funcionamento? Uma rede que não apenas tivesse as áreas componentes identificadas, mas cujo funcionamento dinâmico fosse "flagrado" em ação?

Isso parece ter sido possível, se levarmos em conta vários trabalhos compilados pelo grupo da neurocientista norte-americana Kathleen McDermott[104]. Trata-se da chamada *rede parietal da memória* (**Figura 5.5**). O objetivo dos vários estudos reunidos por McDermott seria detectar como uma dada experiência ou vivência seria memorizada, e como poderia ser lembrada algum tempo depois. A hipótese de trabalho foi sempre que as regiões cerebrais envolvidas com a aquisição e a "gravação" dos engramas da memória seriam distintas daquelas responsáveis pela recuperação deles para a consciência do indivíduo, ou seja, o ato de lembrar (ou então de esquecer[105]). Será que essas áreas seriam constantes, envolvidas com o processamento da memória de modo independente do conteúdo memorizado/lembrado?

A resposta foi positiva. Em alguns trabalhos, foi possível mostrar as regiões cerebrais interagindo durante sua atividade cooperativa, ou pelo menos sincronizada, atividade que ocorre durante certas tarefas específicas relacionadas à aprendizagem. Em vários outros estudos[106], as regiões que fazem parte dessa rede mostraram atividade sincronizada detectada na imagem de ressonância funcional. Além disso, alguns autores realizaram revisões extensas e metódicas da literatura especializada (metanálises), e revelaram que essas mesmas regiões, em conjunto, têm atividade relacionada à recuperação da memória[107], ou seja, à capacidade de reconhecer itens aprendidos no passado, em comparação com novos itens.

É claro que outras regiões cerebrais participam do funcionamento da memória, a começar pelos canais de entrada da informação memorizada (sensoriais, emocionais, cognitivos), e pelos canais de saída que geram comporta-

---

[104] A. Gilmore e cols. (2015). Nesta revisão da literatura, os autores propõem a existência e o funcionamento da rede parietal da memória.

[105] Nosso maior neurocientista – Ivan Izquierdo – tem um livro central para quem se interessa pelo assunto, intitulado *A Arte de Esquecer*. Salienta nele a importância do esquecimento, tanta ou maior do que a própria lembrança. A referência completa está na lista ao final.

[106] B. T. Yeo e cols. (2011); W. R. Shirer e cols. (2012). Exemplos de trabalhos que exploram a conectividade funcional (sincronia de atividade) entre áreas cerebrais, para estabelecer que funcionam articuladamente.

[107] H. Kim (2013). Metanálise que relaciona redes funcionais de áreas cerebrais com a recuperação de memórias.

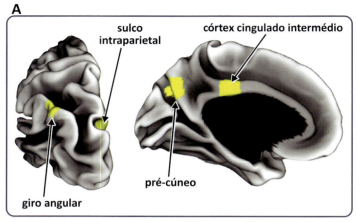

**FIGURA 5.5 |** Segundo a proposta do grupo de Kathleen MacDermott, as áreas que compõem a rede parietal da memória são as apresentadas em **A**. Não estranhe essa representação do cérebro: os sulcos são "abertos" virtualmente para poder mostrar a atividade funcional no interior deles (em amarelo). No gráfico em **B**, mostra-se esquematicamente que quando um estímulo é novo, a rede é desativada, tanto mais quanto mais novo for o estímulo (em azul, à esquerda). Ao contrário, quando aumenta a familiaridade dos estímulos apresentados, a rede é ativada proporcionalmente. Obviamente, muitas outras áreas estão ativas quando um estímulo é captado para memorização, mas por simplicidade não foram incluídas neste esquema. Modificado de A. W. Gilmore e cols. (2015).

mentos ou manifestações fisiológicas (articulação motora da fala, atos de comportamento motor), expressões fisiológicas como sudorese, aceleração cardíaca e outras, dependentes das circunstâncias envolvidas. O que se descobriu é que o córtex parietal contém áreas com atividade diferencial para a seleção de informações que vale a pena armazenar: memorização temporária de eventos que logo a seguir são esquecidos, em relação a outros que se tornam duradouros na memória. Outras áreas parietais são ativadas pelos atos voluntários de lembrança. Outras ainda diferenciam informações que entram pela primeira vez, daquelas que já estão gravadas na rede. E finalmente, alarmes falsos (novas informações que se acredita serem antigas) e omissões (o inverso: itens antigos considerados erroneamente como novos). Ainda outras funcionalidades representadas nessa rede seriam: itens lembrados e o contexto de contorno desses itens. Neste caso, cabe um exemplo: você pode lembrar de uma bela face que a impressionou em algum momento, e pode lembrar também do chamado contexto de contorno: era uma festa, em tal lugar, em tal momento etc.

Analisando vários trabalhos publicados sobre o tema, o grupo de McDermott pôde identificar esse conjunto de áreas – consistentemente descritas em diferentes estudos – no córtex parietal lateral e no córtex parietal medial humano (**Figura 5.5A**). Duas dessas regiões foram identificadas na parte medial (que faz face com o hemisfério oposto) do lobo parietal de ambos os lados, compreendendo uma área conhecida como *pré-cúneo*, e outra chamada *área cingulada intermédia*. Uma terceira, na face lateral do córtex, foi o chamado *giro angular dorsal*. Essas três regiões participam tanto da codificação inicial da memória, como também do ato de lembrança que ocorre posteriormente. Trabalham em conjunto, pois sua atividade é registrada sincronicamente quando os sujeitos dos experimentos realizam tarefas de memorização e lembrança. Essas três regiões podem ser desativadas ou ativadas em conjunto, quando se avalia itens novos, memorizados subsequentemente, ou esquecidos a seguir (**Figura 5.5B**). A desativação súbita da rede foi associada aos estímulos novos: a atividade de base é interrompida para acusar um evento novo. Volta a atividade de base, mas pode ocorrer a seguir um aumento gradativo, quando o evento é repetido (*ativação de repetição*). A ativação de repetição foi associada à formação da memória ou, cognitivamente falando, à progressão de um item da condição de fato novo à de fato familiar. É o que aconteceria entre a primeira vez em que você é apresentada a alguém (sua rede parietal sofre uma súbita e passageira desativação – pessoa nova de interesse no pedaço!), e as ocasiões subsequentes em que você encontra aquela mesma pessoa (ativação – já conheço essa pessoa!). A sua rede parietal da memória vai aumentando a ativação para o mesmo estímulo, o que se correlaciona com a gradativa fixação do mesmo na sua memória.

Pode-se concluir desses dados que esse conjunto de regiões representa uma rede destinada a capacitar o cérebro humano a adquirir gradualmente e depois lembrar memórias. Um trabalho recente adicionou-se a esse esforço de pesquisa sobre circuitos da memória, revelando um papel inesperado da DMN nas lembranças autobiográficas emocionais[108], e assim ampliando ainda mais a sua função.

## ⏩ AS REDES ESCULPIDAS PELA EDUCAÇÃO

A rede cerebral da linguagem oral amadurece durante o primeiro ano de vida das crianças, que se tornam capazes de perceber diferenças de expressão verbal dos adultos, antes de adquirirem a capacidade de falar. Mesmo quando ainda bebês recém-nascidos, são capazes de discernir as diferenças

---

[108] P. Bado e cols. (2014). Trabalho do grupo brasileiro liderado por Jorge Moll Neto.

# 66 CAPÍTULO 5 | REDES DINÂMICAS

de tonalidade da voz materna, e as diferenças de "sotaque" do idioma materno, o que possivelmente representa uma influência que receberam durante sua permanência no útero[109]. O assunto ainda está em debate, mas de qualquer modo salienta a grande precocidade da rede de linguagem oral, bem como sua plasticidade ante influências externas.

Durante o desenvolvimento fetal, algumas das regiões frontais e temporais relacionadas à linguagem aparecem mais nitidamente no hemisfério direito, antes do esquerdo, mas outras têm curso oposto[110]. O estudo da atividade das regiões corticais em resposta a estímulos linguísticos em recém-nascidos indicou maior simetria na distribuição das áreas ativas, e uma gradativa especialização à esquerda durante o primeiro ano de vida. Quando ocorrem lesões neurais acidentais em crianças muito pequenas, atingindo as regiões linguísticas que vão amadurecendo à esquerda, a recuperação é espantosa, e a rede da linguagem oral se reorganiza para ocupar as regiões homólogas no hemisfério direito. Apesar dessa relativa simetria, isto é, ausência de nítida lateralidade à esquerda como é o caso nos adultos, o mapa das regiões ativas da rede neural da linguagem oral nos bebês é muito semelhante ao dos adultos, sugerindo que alguma predeterminação genética deve existir neste caso. Tudo indica, então, que o cérebro do recém-nascido não é uma *tabula rasa*, isto é, um ambiente completamente desestruturado que vai sendo construído pelo ambiente, mas sim um órgão já dotado de redes organizadas determinadas pelo genoma da espécie, embora imaturas, esculpidas sim pelo ambiente, mas não criadas por ele.

O neurocientista francês Stanislas Dehaene, talvez o pesquisador contemporâneo mais destacado nesta área, realizou, com seus colaboradores, experimentos seminais que levaram a uma nova hipótese sobre como a educação e a cultura influenciam o cérebro: a chamada "reciclagem neural"[111]. De acordo com Dehaene e seu grupo[112], as criações culturais aprendidas, como a escrita, utilizam e modificam as redes neurais de alta complexidade já disponíveis no cérebro humano, neste caso a rede da linguagem oral. Esses circuitos preexistentes seriam "reciclados" para uma utilização diferente daquela que anteriormente tinha sido possibilitada pela evolução.

Desse conjunto de trabalhos surgiu a descoberta de que em indivíduos analfabetos alguns componentes dessa rede são ativados por outras funções (p. ex., o reconhecimento de faces), o que significa que a plasticidade é determinante neste caso, porque as mesmas regiões corticais podem ser "ocupadas" tanto pela função de reconhecimento de faces como pelo reconhecimento

---

[109] C. Moon e cols. (1993); B. Mampe e cols. (2009). Dois trabalhos superinteressantes sobre as habilidades linguísticas já presentes em recém-nascidos. Existe toda uma linha de trabalhos publicados sobre este tema, revistos recentemente por R. Cusack e cols. (2016).

[110] G. Dehaene-Lambertz e cols. (2006).

[111] Na verdade, a expressão utilizada por Dehaene foi "reciclagem neuronal". O conceito é importante e original, mas a expressão que os autores preferiram para descrevê-lo me parece excessivamente reducionista, e não engloba a verdadeira natureza do que ocorre: a plasticidade das redes neurais, mais que dos neurônios isoladamente. Por essa razão, tomo a liberdade de utilizar aqui a expressão equivalente em níveis heurísticos mais holísticos: **reciclagem neural**.

[112] S. Dehaene e L. Cohen (2006); S. Dehaene (2013). Esses dois artigos trazem a conceituação da hipótese de reciclagem neural.

de grafemas, dependendo da alfabetização[113]. Isso significa que, durante a infância e a juventude, a alfabetização propiciada na família e na escola vai ocupando parte das regiões temporais inferiores que compõem o córtex visual de funcionalidade mais complexa, para ali "instalar" o léxicon linguístico da forma das palavras. O processo envolve "empurrar" a região que seria dedicada ao reconhecimento de faces para mais à frente, ou para o hemisfério oposto. Esse é um evento típico da neuroplasticidade das redes funcionais. Uma nova rede se organiza por uma determinada influência do ambiente (aprender a ler, neste exemplo), acomodando-se no território que poderia também ser utilizado por outra função (o reconhecimento e a nomeação de faces, seguindo o mesmo exemplo).

Recentemente, Dehaene e seu grupo abordaram uma nova pergunta[114]: será que a aprendizagem de matemática recruta as mesmas áreas cerebrais da linguagem escrita? Ou aqueles que são treinados em conceitos de matemática desenvolvem uma rede cerebral específica para essa funcionalidade? O trabalho buscou identificar as regiões cerebrais ativadas durante a compreensão de uma afirmação matemática ou de uma afirmação linguística (não matemática), em matemáticos experientes comparados a pesquisadores de outras especialidades. É claro que apenas os matemáticos compreendiam as afirmações de sua área, embora ambos compreendessem a afirmação linguística. Exemplo de afirmação matemática: "Num grupo compacto, toda medida invariante à esquerda também é bi-invariante". Exemplo de afirmação apenas linguística: "Na Grécia antiga, um cidadão que não pudesse pagar suas dívidas era feito escravo". As áreas corticais ativadas nos matemáticos durante a tentativa de compreender essas frases eram diferentes quando o conteúdo era matemático, do que quando o conteúdo era não matemático (**Figura 5.6A**): abrangiam, no primeiro caso, a região do sulco intraparietal, partes posteriores do córtex temporal inferior e algumas áreas pré-frontais laterais. Nos pesquisadores de outras disciplinas, essas regiões eram bem menos ativadas (**Figura 5.6B**). E mais: as regiões ativadas pelas frases de conteúdo não matemático eram diferentes, não sobrepostas, e apareciam bem ativas nos dois grupos estudados.

Ao que parece, essas regiões identificadas nos matemáticos participam de funções relacionadas, mas menos exigentes em todos nós que não temos essa profissão: a numerosidade (percepção genérica de quantidade que os seres humanos têm desde o primeiro ano de vida[115]) e a identificação da forma dos números (função parecida com a identificação da forma das letras).

Ficou claro que o treinamento especializado em matemática recruta seletivamente certas regiões que parecem disponíveis no cérebro desde o início do desenvolvimento, em funções bem básicas relacionadas à percepção e

---

[113] D. J. Bolger e cols. (2005); U. Maurer e cols. (2006); S. Dehaene e cols. (2010). O primeiro trabalho mostra que a representação da leitura no cérebro é invariante nas diferentes culturas, idiomas e alfabetos. O segundo mostra como a alfabetização especializa áreas corticais em um dos hemisférios, nas crianças, e o terceiro demonstra que, quando a alfabetização deixa de acontecer, essas áreas cerebrais se dedicam a outras funções.

[114] M. Amalric e S. Dehaene (2016). Trabalho muito engenhoso e qualificado, recomendo a todos os interessados.

[115] B. V. Dorneles e V.G. Haase (2017). Texto de revisão que trata justamente de como o ambiente estruturado (a Educação) propicia a aprendizagem numérica em crianças.

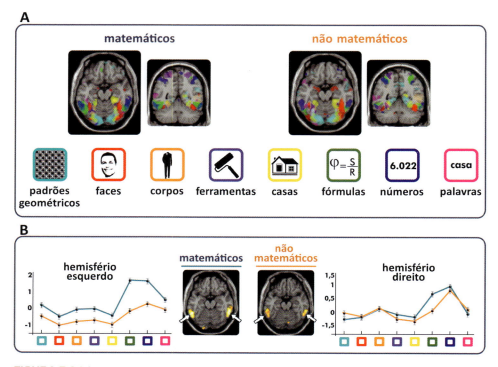

**FIGURA 5.6 |** A rede cerebral ativada no processamento de números e fórmulas matemáticas é mais desenvolvida naqueles que foram educados para exercer a profissão de matemático. Você pode não perceber bem (em **A**) como as áreas que reconhecem fórmulas e números são mais ativas nos matemáticos, mas os gráficos (em **B**) demonstram a maior ativação delas, principalmente no hemisfério esquerdo. Os quadradinhos em **B** referem-se aos estímulos ilustrados em **A**. Modificado de M. Amalric e S. Dehaene (2016), com a permissão dos autores[116].

avaliação de quantidades, para desenvolver competências sofisticadas da prática e do raciocínio matemático. Essa rede "aprendida", portanto, nada tem a ver com a da leitura, porque envolve regiões diferentes. E representa um efeito plástico que o ambiente (a educação e a cultura, geralmente) exerce sobre o cérebro.

Há, no entanto, algumas confluências entre as duas redes "aprendidas": ambas incluem a participação de um núcleo de células situado abaixo do córtex cerebral – chamado *núcleo caudado* – e uma região cortical situada na ponta do sulco lateral – chamada *giro angular*. É que o núcleo caudado participa da motivação e da atenção executiva necessária para avaliar tanto uma frase de conteúdo matemático, quanto uma frase de conteúdo linguístico apenas. E o giro angular participa da avaliação do sentido de ambas as frases: ele nos indica se uma frase parece ter um conteúdo plausível, embora possamos não saber qual é, ou se é totalmente "nada a ver", ou seja, sem sentido. São regiões que participam das duas redes, em aspectos de funcionalidade comuns a ambas.

Um outro resultado também foi interessante: as regiões expandidas dedicadas à matemática nas pessoas com treinamento específico são parte da

---

[116] A tradução da figura é de responsabilidade do autor do livro.

rede de reconhecimento de faces das demais pessoas, a mesma ocupada pelo reconhecimento visual das letras e outras funções linguísticas nos indivíduos alfabetizados. A aprendizagem, portanto, mobiliza a neuroplasticidade das redes neurais deslocando-as e modulando sua extensão e atividade, de acordo com a natureza do treinamento oferecido!

## ▶▶ UMA PALAVRA DE CAUTELA

Como vimos, estudos sobre redes cerebrais envolvidas em tarefas de aprendizagem têm-se multiplicado em anos recentes, com o aprimoramento dos métodos de neuroimagem morfológica e funcional. A maioria dos trabalhos compara indivíduos que aprenderam uma certa habilidade, como realizar cálculos matemáticos, tocar um instrumento musical, praticar um esporte e outras tarefas, com outros indivíduos sem treinamento similar (o chamado "grupo-controle"). Grande número de diferenças morfológicas e funcionais em áreas cerebrais específicas tem sido descrito e atribuído ao treinamento. A maioria desses estudos são chamados *transversais*: os sujeitos são examinados em uma determinada idade após um certo tempo de treinamento, e comparados com controles pareados, isto é, com outros sujeitos que não tiveram treinamento na tarefa. É o caso do estudo mencionado acima, sobre o cérebro dos matemáticos. No entanto, como podemos ter certeza de que os indivíduos "treinados" já não nasceram com áreas cerebrais diferenciadas que lhes propiciaram excelente desempenho nessas tarefas? O que é causa, o que é consequência? Padrão-ouro para conclusões mais robustas são os estudos *longitudinais*, pelos quais os mesmos indivíduos são examinados em pontos temporais sequenciais ao longo do treinamento, ou pelo menos antes e depois do treinamento. Esse tipo de metodologia permite traçar uma linha do tempo que detecte as mudanças ocorridas na vida dos mesmos indivíduos. Felizmente, alguns poucos estudos desse tipo já estão disponíveis[117], e comprovam que o treinamento de fato induz alterações plásticas no cérebro.

Esses estudos contribuíram para identificar áreas cerebrais mutáveis pela aprendizagem de diferentes tarefas. Eles representam, portanto, um tipo de esforço "cartográfico" que identifica cada uma das regiões cerebrais relacionadas a cada tipo de treinamento. Projeta-se para o futuro a possibilidade de conhecermos, no cada vez mais complicado mapa topográfico das funções cerebrais, a sua capacidade de transformação no tempo, sob a influência de intervenções sociais – familiares, educacionais e outras. Para o bem e para o mal...

---

[117] B. Draganski e cols. (2004); K. L. Hyde e cols. (2009); E. S. Cross e cols. (2009); M. Herdener e cols. (2010); A. Sekiguchi e cols. (2011). Respectivamente, esses trabalhos de desenho longitudinal mostram a neuroplasticidade devida à prática de malabarismo, música, dança, audição musical e esporte.

# Crianças: Uma Longa Transição[118]

Finalmente chegamos às pessoas, ou melhor, às crianças. É nelas que a neuroplasticidade é mais forte (embora exista também nos adultos!). Com base nessa propriedade é que a educação se torna mais eficiente, sob certo ponto de vista, nas crianças. Você deve ser jovem, mas certamente é adulta. No entanto, antes que desanime, saiba que as crianças aprendem mais, mas nós adultos aprendemos melhor. Isso porque adquirimos o que se chama metacognição: aprendemos a aprender, conhecendo melhor nossas próprias estratégias. Atingir essa etapa é a "luta" dos adolescentes. Neste capítulo, o foco está no desenvolvimento desde a embriogênese até pelo menos a adolescência, considerando-o sob diferentes níveis de redução, mas sempre relacionando-o com os fenômenos ligados à educação.

---

[118] Esta seção se baseou em um texto escrito em colaboração com a psicóloga Rosinda de Oliveira: Oliveira e Lent (2017).

Muitos fenômenos plásticos ocorrem no cérebro adulto, como vimos, mas é inegável que o cérebro da criança é o cenário mais fértil para a construção plástica da consciência plena dos seres humanos. Parece natural, porque já nos habituamos a pensar na educação como uma atividade social dirigida tipicamente às crianças. Mas quais seriam as razões? Que tem de diferente o cérebro infantil do nosso?

## ▶▶ DESENVOLVIMENTO NO ÚTERO: QUANDO COMEÇA A CONSCIÊNCIA?

Tudo começa no início, diria um filósofo de obviedades. E o início da vida humana, quando é? Na verdade, esta não é uma questão tão óbvia, mas um dos debates mais polêmicos da atualidade, que envolve filósofos, cientistas e juristas: quando se inicia a vida de um indivíduo? A resposta científica correta é que a vida não se inicia, ela se continua. Isso porque o espermatozoide e o óvulo são células vivas, que ao se unirem transmitem ao zigoto[119] a sua própria vida. O zigoto, desse modo, é apenas o marco de transição entre as vidas dos pais, expressas nos seus gametas, e a vida do filho que então se materializa. Questão igualmente polêmica, e sem resposta convincente até o momento, diz respeito ao início da consciência humana. O feto sente, percebe? Pensa alguma coisa? Em caso positivo, quando isso se inicia? Como veremos, há indícios de que ele de fato já apresenta respostas sensoriais por volta da 18ª semana de gestação, mas o quanto isso significa "consciência" ainda não está estabelecido.

Após a fecundação, o zigoto se desloca no interior de uma das trompas uterinas, e no caminho vai se dividindo em 2, 4, 8 células, e assim por diante, constituindo uma minúscula esfera chamada mórula. Uma cavidade começa a aparecer no interior da mórula, que então passa a ser chamada blástula. A essa altura a blástula já "caiu" no útero, a cuja parede adere e se incrusta, formando o blastocisto. Este, agora firmemente ligado ao corpo da mãe, é que vai dar origem ao embrião propriamente dito. Neste momento não há vestígio de consciência, simplesmente porque ainda não há sistema nervoso formado, nem mesmo células nervosas, ainda que dispersas. É nessa fase que são utilizados os embriões (congelados para armazenamento) no trabalho de pesquisa com células-tronco embrionárias, com a expectativa de usá-las fora do útero para diferenciar os vários tecidos do organismo[120], ou seja, especializá-los gradativamente em suas diferentes formas e funções.

Na parede uterina, a esférula embrionária vai crescendo e se transformando, até que um dos seus três folhetos básicos – o ectoderma – por volta da 3ª semana de gestação origina o primeiro vestígio de sistema nervoso, a placa

---

[119] *Zigoto* é o termo técnico que se dá ao óvulo fecundado, ou ovo. As células sexuais – o espermatozoide e o óvulo – são denominadas *gametas*.

[120] Atualmente, essa discussão ética esfriou, porque surgiu a possibilidade de utilizar células adultas de um indivíduo (da pele, da urina e de outras fontes), realizando um procedimento genético capaz de fazê-las "regredir" à fase embrionária. Com isso, elas readquirem sua característica pluripotente de célula-tronco, e são capazes de ser rediferenciadas para se tornar outras células específicas, inclusive neurônios. Recebem o nome de *células-tronco de pluripotência induzida* (iPSC, na abreviatura em inglês).

**74** CAPÍTULO 6 | CRIANÇAS: UMA LONGA TRANSIÇÃO

neural. Como o nome indica, a placa neural é uma camada plana de células, que vai se dobrando sobre si mesma para formar um cilindro chamado tubo neural. Este já lembra a medula espinhal do sistema nervoso adulto (**Figura 6.1**), mas logo deixa de ser um cilindro típico, porque as células da extremidade rostral (que fica na cabeça do embrião) passam a se multiplicar mais acentuadamente. Por falta de espaço na cabeça, que cresce mais vagarosamente, o tubo se dobra várias vezes sobre si mesmo. É o encéfalo que vai aparecendo por volta da 6ª ou 7ª semana de gestação, já dividido em dois hemisférios, com suas três vesículas características[121]: o *prosencéfalo*, origem do córtex cerebral da criança; o *mesencéfalo*, parte intermediária; e o *rombencéfalo*, que origina o cerebelo e o tronco encefálico, em continuidade com a medula espinhal primitiva (**Figura 6.1**). Mesmo cheio de dobras, o sistema nervoso embrionário ainda é um tubo, com uma cavidade interna delimitada por uma parede de células.

As células da parede interna do encéfalo são progenitoras, ou seja, darão origem aos neurônios e células gliais de estágios posteriores do desenvolvimento. Inicialmente formam uma camada única, dividindo-se em outras células progenitoras mediante ciclos sucessivos. Mas em um certo momento, algumas das células-filhas param de se dividir e estabilizam-se como neurônios jovens[122]. A produção de novos neurônios no cérebro humano em desenvolvimento (neurogênese) pode atingir a gigantesca velocidade de 250 mil células por minuto[123]. Esses primeiros neurônios nascem por volta da 10ª semana de gestação (**Figura 6.1**), migram radialmente para fora da camada de progenitoras, e vão formando as camadas do córtex cerebral e os núcleos das regiões subcorticais, processo que se estende até praticamente o nascimento do bebê. Quando ocorrem anomalias nesse processo, interrompendo ou modificando a proliferação e/ou a migração celular, o cérebro acaba com malformações que produzem graves sequelas na criança. É o caso de certas infecções como as produzidas pelo vírus Zika[124]. Já nesse período precoce de desenvolvimento, os fetos humanos produzem hormônios de acordo com seu sexo: um pico de testosterona ocorre por volta da 15ª semana de gestação em fetos masculinos, o que estabelece um dimorfismo sexual que influencia o desenvolvimento e, possivelmente, repercute depois no comportamento da criança[125].

Ao mesmo tempo que migram, os neurônios jovens vão emitindo seus característicos prolongamentos, os dendritos e o axônio. Como já vimos, os dendritos são as antenas que alojarão as sinapses de outros neurônios, por onde chegarão as informações de entrada. O axônio é o cabo de saída do neurônio, que emitirá os impulsos nervosos dirigidos aos demais neurônios do

---

[121] G. Clowry e cols. (2010). Revisão recente sobre o desenvolvimento do cérebro humano.

[122] Neurônios "nascem" e não se dividem mais. Morrem durante a nossa vida, ou conosco quando morremos. A data de nascimento de um neurônio é o momento em que uma célula precursora realiza uma divisão "assimétrica", gerando outra célula precursora, que continua a se dividir, e um neurônio, que não se divide mais. Ou então quando realiza sua última divisão "simétrica", gerando dois neurônios, que não se dividem mais.

[123] C. A. Nelson (2011). Excelente revisão sobre neuroplasticidade desde o período de desenvolvimento.

[124] P. P. Garcez e cols. (2016); P. Soares de Oliveira-Szejnfeld e cols. (2017). Importantes trabalhos brasileiros sobre as malformações causadas pelo vírus Zika.

[125] B. Auyeung e cols. (2013). Até que ponto os hormônios sexuais repercutem sobre o comportamento e a cognição humana? Essa interessante questão é abordada por este trabalho.

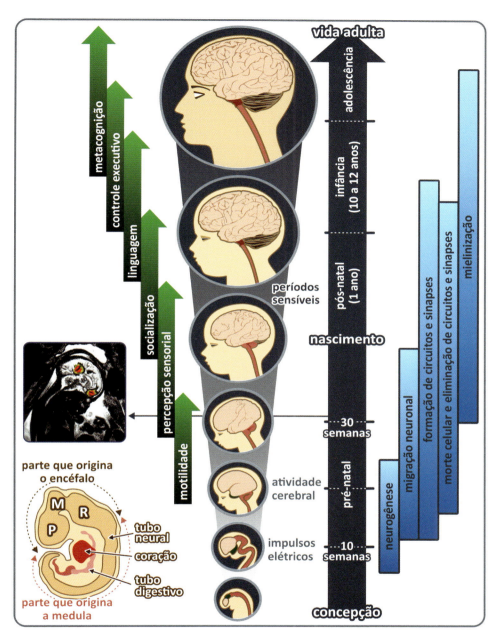

**FIGURA 6.1** | A linha do tempo do desenvolvimento do sistema nervoso (ao centro), corre em paralelo com a das habilidades psicológicas que vão aos poucos sendo consolidadas (à esquerda, em verde), e com os principais processos neurobiológicos subjacentes (à direita, em azul). O embrião ampliado à esquerda mostra o início da formação das três vesículas encefálicas: P = prosencéfalo; M = mesencéfalo; R = rombencéfalo. A imagem de ressonância magnética funcional foi obtida[126] de um feto de 32 semanas e mostra componentes do sistema padrão de repouso (default) já operante nessa idade. Modificado de R. Oliveira e R. Lent (2017).

---

[126] S. Seshamani e cols. (2016). Trabalho técnico que desenvolve metodologias sofisticadas de registro de imagens de RMf no cérebro *in utero*.

**76** CAPÍTULO 6 | CRIANÇAS: UMA LONGA TRANSIÇÃO

circuito a ser estabelecido. Os neurônios acabam por ancorar em posições predeterminadas, emitem dendritos que se ramificam bastante nas redondezas, e projetam um único axônio que cresce mais longamente até encontrar os seus alvos corretos, onde estabelecerá contatos sinápticos. A fase seguinte envolve intensa formação de sinapses (sinaptogênese), começando por volta da 20ª semana de gestação, e estendendo-se após o nascimento até próximo da adolescência (**Figura 6.1**). Também nessas fases do desenvolvimento da circuitaria cerebral, alterações genéticas ou ambientais podem modificar o curso dos acontecimentos, e resultar em erros de conexão que levam a distúrbios menos drásticos que as alterações da proliferação celular, mas potencialmente danosos pelos transtornos que podem provocar.

O número de neurônios produzidos e de conexões estabelecidas durante o desenvolvimento tende a ser maior do que o que fica após o período pós-natal. Esse ajuste é feito durante as etapas mais tardias do desenvolvimento cerebral típico, mediante a morte programada de neurônios, e a remoção do excesso de conexões em várias regiões (**Figura 6.1**), este último fenômeno conhecido como *poda sináptica*. A eliminação programada de neurônios, axônios e sinapses é um mecanismo de refinamento das conexões, e tem curso paralelo com a sinaptogênese até a adolescência. É possível que esses fenômenos regressivos normais do desenvolvimento sejam modulados pelo ambiente, sendo também parte dos mecanismos de neuroplasticidade característicos da infância.

À medida que o hardware neural vai se estabelecendo, o software começa também a funcionar. Assim, a maquinaria molecular que possibilita a produção de impulsos elétricos pelos neurônios vai amadurecendo, e estes começam a se comunicar[127]. As primeiras redes neurais ativas se formam, e isso começa muito precocemente no início do segundo trimestre de gestação, quando os primeiros movimentos do feto já podem ser registrados dentro do útero (**Figura 6.1**), sugerindo pelo menos a maturação dos primeiros circuitos rítmicos da medula espinhal, em comunicação direta com os músculos. Os movimentos derivados da atividade cortical (seriam "voluntários"?) aparecem mais tarde, já próximo ao nascimento[128]. A atividade elétrica precoce das redes neuronais não tem necessariamente uma função "psicológica", mas é essencial para regular os mecanismos celulares do desenvolvimento cerebral.

De todo modo, em torno da 18ª semana de gestação já se pode registrar atividade sincronizada entre áreas do córtex cerebral do feto (**Figura 6.1**), indicando ativa comunicação entre elas. Essa informação é obtida por meio de neuroimagem de ressonância magnética funcional, e permite observar, um pouco mais tarde, a DMN em pleno funcionamento[129], com atividade coordenada entre diferentes áreas do córtex cerebral, como acontece após o nascimento.

Como já comentamos, uma importante questão indefinida – de grandes repercussões sociais, éticas e jurídicas – é se o feto possui algum tipo de "consciência" dentro do útero, ou pelo menos a percepção sensorial em modalidades

---

[127] H. J. Luhmann e cols. (2016). A emergência da atividade neural abordada em múltiplos níveis heurísticos.

[128] H. Kanazawa e cols. (2014). Trabalho feito em recém-nascidos a termo e prematuros, utilizando EEG e EMG para correlacionar o comando cortical com os primeiros movimentos do feto.

[129] S. Seshamani e cols. (2016). DMN em fetos humanos.

como a audição e a somestesia (tato). A possibilidade de detectar a percepção de dor no feto é obviamente de grande relevância para a medicina pediátrica e para a psicologia do desenvolvimento.

Algumas mães relatam que perceberam o seu bebê, logo ao nascer, parar de chorar e olhar para ela ou para o pai, como que reconhecendo a sua voz, mesmo em meio aos ruídos da sala de parto. Não parece se tratar de um exagero de amor materno, pois esta observação já foi feita em contexto experimental. Utilizando alterações do ritmo cardíaco como indicadores de atenção, mostrou-se que recém-nascidos discriminam a voz materna da de outras mulheres, e demonstram mais atenção a histórias contadas pela mãe no período de gestação. Além disso, essa percepção diferenciada da voz materna pode ser detectada por neuroimagem funcional mesmo antes do nascimento[130]. O bebê ainda não é capaz de compreender a linguagem e a história, obviamente. Mas esses achados mostram uma capacidade precoce – até mesmo antes do nascimento – de interação neuropsicológica com o mundo à sua volta.

## ⬛➤➤ INFÂNCIA: PERÍODOS CRÍTICOS E ACELERADAS MUDANÇAS

O tempo é uma variável essencial do desenvolvimento. Ao longo do tempo, no entanto, as mudanças no sistema nervoso e seus correlatos psicológicos não são lineares, mas sim em forma de U invertido, isto é, crescem até atingir um pico em algum momento, declinando após. Do mesmo modo, a suscetibilidade do sistema nervoso à modulação ambiental varia de modo semelhante. Há evidências de que existem períodos em que o incremento de uma dada habilidade ou alguma aprendizagem ocorre de modo mais rápido e fácil, sendo esse fenômeno substanciado por uma maior suscetibilidade biológica do cérebro. Tais "janelas de oportunidade" são chamadas **períodos sensíveis** ou **períodos críticos** (Figura 6.2).

Os períodos críticos devem ser entendidos como intervalos em que os mecanismos de plasticidade cerebral estão especialmente ativos e mais suscetíveis para receber a estimulação adequada proveniente do ambiente[131] (**Figura 6.2A**). O cérebro é mutável ao longo de toda a vida, mas essa característica é maior durante as fases iniciais do desenvolvimento. Isso explica a ocorrência dos períodos sensíveis ou críticos nessas fases.

Já foram detectados períodos críticos para fenômenos neuropsicológicos complexos como o *imprinting*[132] filial, o aprendizado da fonética linguística e das características da música, e a extinção da memória do medo. Da mesma

---

[130] A. J. DeCasper e Spence (1986); Fifer e Moon (1994); Jardri e cols. (2012). Os dois primeiros trabalhos trazem a observação pós-natal da influência que a voz materna teve nos fetos, enquanto o último, mais recente, mostra a identificação da resposta funcional do cérebro fetal humano à fala da mãe.

[131] E. I. Knudsen (2004). Artigo de revisão no qual se podem encontrar as principais características conceituais dos períodos críticos.

[132] Palavra sem tradução para o português, mas que significa, em várias espécies animais, o firme reconhecimento dos pais (principalmente da mãe) pelos filhotes. Pais (principalmente mães) fictícios podem passar a ser reconhecidos pelos filhotes em substituição aos verdadeiros.

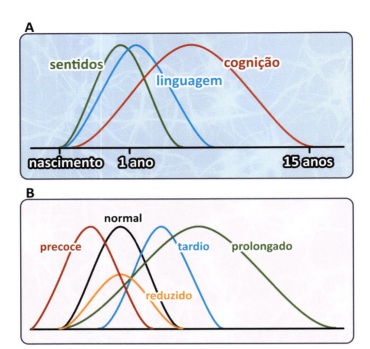

**FIGURA 6.2 |** Cada aspecto do desenvolvimento tem o seu período crítico (**A**), representado em forma de U invertido, sem que se saiba ainda muito bem a exata cronologia de cada um. Além disso, supõe-se que os períodos críticos podem variar entre as crianças, produzindo ritmos diferentes de desenvolvimento psicológico e, algumas vezes, transtornos do desenvolvimento (**B**). Alteração nos períodos críticos, por exemplo, é uma das hipóteses para explicar as origens do autismo.

forma, períodos críticos foram também identificados para fenômenos sensoriais como a percepção binocular e a localização espacial dos sons.

Ao longo da infância e da adolescência, diferentes aspectos do funcionamento cognitivo e socioemocional parecem passar por períodos como esses. No que tange à linguagem, por exemplo, há evidências de múltiplos períodos sensíveis com início e duração diferentes, dentre eles aquele em que o cérebro é modulado para discriminar fonemas da língua.

Uma série de estudos com crianças ao longo do primeiro ano pós-natal mostrou que, no início desse intervalo, elas diferenciam fonemas não apenas da língua que ouvem diariamente, mas também de outras línguas que nunca ouviram. Esta capacidade progressivamente se restringe, até que ao final desse primeiro ano a criança discrimina apenas, com a mesma eficiência de outros falantes nativos, os sons da língua principal a que está exposta. Por exemplo, adultos japoneses que não são bilíngues em inglês não distinguem facilmente os fonemas *r* e *l*, existentes em inglês, pois em japonês estes sons não constituem fonemas distintos. No entanto, bebês japoneses fazem esta discriminação, perdendo esta habilidade ao longo do primeiro ano de vida[134]. Como se chegou a saber isso?

---
[133] J. J. LeBlanc e M. Faggiolini (2011).
[134] P. K. Kuhl (2010). Patricia Kuhl é uma neurocientista norte-americana muito destacada no estudo da aprendizagem linguística.

## CAPÍTULO 6 | CRIANÇAS: UMA LONGA TRANSIÇÃO

Não é possível perguntar a um bebê se os sons que ouve são iguais ou diferentes, como se poderia proceder com crianças mais velhas. No entanto, é possível ensinar um bebê a olhar para um lado (sempre o mesmo) quando ouve sons diferentes. Toda vez que ouve algo diferente e olha para esse lado, o bebê é "premiado" com um estímulo interessante que pode ser um bonequinho que balança e emite um som. Depois de estabelecido o padrão de resposta condicionada, apresentam-se os fonemas iguais e diferentes e registram-se as respostas do bebê. A quantidade de vezes que ele olha para a direita, diante da apresentação de dois fonemas distintos, informa sobre sua capacidade para diferenciá-los.

Embora a capacidade de discriminação de fonemas se restrinja ao longo do primeiro ano somente para a língua ouvida, e isto constitua uma certa perda (e não um ganho como é mais comum no desenvolvimento infantil), entende-se que esta mudança reflita especialização e aumento de eficiência do cérebro. Além disso, a perda dessa capacidade precoce não significa que o indivíduo não possa posteriormente aprender esses detalhes fonéticos dos idiomas. Apenas, a aprendizagem requererá maior esforço, deixando de ser natural e espontânea como no primeiro ano.

Nesse período, também, o bebê já percebe ritmos musicais simples, binários (o ritmo de uma marcha, por exemplo)[135]. Não percebe tão bem os ritmos ternários (de uma valsa). Essa capacidade aparece quando se registra a atividade cerebral, e mais: repercute positivamente na capacidade de aprendizagem linguística do bebê. Trata-se, possivelmente, de uma propriedade de percepção de padrões auditivos temporais, rítmicos, presentes tanto na linguagem como na música.

Outros aspectos da linguagem parecem ter períodos sensíveis diferentes. O período sensível para o desenvolvimento da sintaxe, por exemplo, tem sido identificado entre 18 e 36 meses. O vocabulário, por sua vez, apresenta grande aceleração de desenvolvimento aos 18 meses e continua a ser incrementado ao longo da vida.

O mais incrível durante o primeiro ano de vida do bebê é a demonstração recente de que eles são dotados até mesmo de rudimentos conceituais próprios da filosofia, isto é, altamente subjetivos. Prepare-se para a surpresa. Você sabe o que é disjunção? Sabe o que é silogismo disjuntivo? Bem, eu também não sabia, até que o artigo publicado recentemente na revista norte-americana Science por um grupo de pesquisadores europeus[136] demonstrou que bebês de 1 ano já sabem resolver essas categorias lógicas que a filosofia estabelece.

Na disjunção, você compreende que, apresentado a um de dois itens A e B, um é A e o outro é B, logo, cada um deles só pode ser ou A ou B. No silogismo disjuntivo, você conclui que se algum deles não é A, só pode ser B. Elementar, meu caro Watson, como diria Sherlock Holmes.

Os pesquisadores criaram um teatrinho virtual (**Figura 6.3**) no qual apareciam duas figurinhas para o bebê olhar: um dinossauro e uma flor. Ao lado,

---

[135] T. C. Zhao e P. K. Kuhl (2016). Excelente revisão sobre a plasticidade auditiva dos bebês no primeiro ano de vida.

[136] N. Cesana-Arlotti e cols. (2018). Trabalho extremamente intrigante que levanta um possível caráter inato de capacidades lógicas até o momento consideradas um produto exclusivo da cultura.

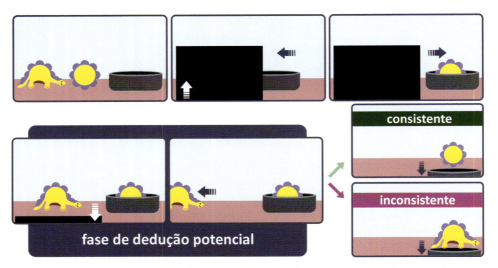

**FIGURA 6.3 |** O teatrinho virtual que foi apresentado aos bebês para testar uma improvável capacidade lógica que, no entanto, eles demonstraram possuir. A sequência começa acima, à esquerda, e está descrita no texto. Dentre os últimos dois quadros, abaixo à direita, aquele que era inconsistente tornava-se objeto de um olhar mais prolongado do bebê, semelhante ao que aconteceu com crianças maiores e pessoas adultas usadas como controle da experiência. Ilustração livre baseada no trabalho de N. Cesana-Arlotti e cols. (2018).

uma cuia opaca cinza. O dinossauro e a flor tinham a parte de cima com desenho igual. No segundo momento da animação, aparecia uma tela preta que tampava as figurinhas. A cuia cinza se deslocava para trás da tela e voltava com uma das figurinhas dentro. Como só aparecia a parte de cima, a questão era: será o dinossauro ou será a flor? Alguns momentos depois, a tela preta desaparecia e deixava o dinossauro à mostra. O dinossauro então desaparecia, e depois a cuia também. Duas cenas eram então apresentadas alternada e aleatoriamente. Na primeira possibilidade, o resultado era consistente: aparecia a flor. Na segunda, o resultado era inconsistente: aparecia o dinossauro (**Figura 6.3**).

    Medindo os tempos em que o bebê ficava olhando para o resultado consistente e o inconsistente, os pesquisadores verificaram que este último atraía o olhar fixo do bebê por mais tempo do que o primeiro. Isso ocorreu nos bebês pré-verbais (1 ano), nos que estavam aprendendo a falar (19 meses) e também em adultos testados para controle. Silogismo disjuntivo! Só pode ser um ou outro: o errado nos faz fixar por mais tempo, pois achamos um resultado estranho, pendente de confirmação...

    Essa descoberta espantaria o famoso biólogo e psicólogo suíço Jean Piaget (1896-1980), para quem o desenvolvimento cognitivo das crianças atravessa quatro estágios básicos: sensório-motor (0-2 anos); pré-operacional (2-7 anos); operacional-concreto (7-11 anos, pré-adolescência); e operacional formal (11-18 anos, da adolescência à pós-adolescência imediata)[137]. Uma tarefa

---

[137] Piaget escreveu muitos livros, mas talvez o mais descritivo de sua concepção do desenvolvimento infantil seja *O Nascimento da Inteligência na Criança* (Piaget, 1970, tradução para o português).

CAPÍTULO 6 | CRIANÇAS: UMA LONGA TRANSIÇÃO

como a que descrevemos acima, para Piaget, só poderia ser executada por uma criança no estágio pré-operacional...[138] A conclusão é que nosso cérebro possui um arcabouço cognitivo básico desde o nascimento – essencialmente plástico – capaz de ser desenvolvido e lapidado pelo ambiente para permitir as operações complexas de que somos capazes.

O conhecimento dos períodos da vida em que os mecanismos de plasticidade neural favorecem o desenvolvimento desta ou daquela função, ou habilidade psicológica, mesmo havendo dúvida de quão crítico é o período, é informação preciosa para o planejamento de intervenções, por exemplo no âmbito educacional. Essa constatação ressalta a importância da educação na primeira infância: as creches, como se sabe, demandam não apenas os cuidados funcionais para os bebês, mas um programa pedagógico que aproveite a oportunidade dos períodos críticos dessa fase da vida.

Além disso, as intervenções corretivas feitas durante o período crítico tendem a ser melhor sucedidas do que depois que ele se extingue. É o caso da ambliopia[139] produzida pelo estrabismo não corrigido. A utilização de óculos prismáticos que reposicionem a imagem no local correto da retina do olho desviado é essencial para evitar o cancelamento que o córtex visual produz quando a imagem percebida por um olho é desacoplada daquela vista pelo outro olho. Mas essa intervenção deve ser feita na infância para ser eficaz, e será eficaz mesmo que os olhos, anatomicamente, continuem desviados.

Logo após o nascimento, o cérebro ainda está em pleno desenvolvimento neurobiológico, como mostra a **Figura 6.1**. Muitos dos processos estão em andamento, como a formação dos circuitos, a mielinização dos feixes e o refinamento das conexões por morte celular e eliminação seletiva de fibras e sinapses. Um desses fenômenos pós-natais é o amadurecimento dos neurônios inibitórios (GABAérgicos) e seus circuitos que, pelo menos em animais, se estende após o nascimento. Gradativamente, seu amadurecimento é seguido de uma cobertura de proteínas da matriz extracelular que "sela" a sua plasticidade, encerrando assim o período crítico. São esses neurônios que permitem o equilíbrio entre excitação e inibição, regulando o processamento e principalmente a saída das informações pelos axônios dos neurônios piramidais do córtex. Acredita-se que esses neurônios inibitórios são cruciais para a modulação do período crítico, pois é possível reduzi-lo ou prolongá-lo em animais manipulando o desenvolvimento desses neurônios[140]. É interessante que, em modelos animais da síndrome do espectro autista, os neurônios inibitórios têm o seu desenvolvimento alterado, e os sintomas podem ser revertidos manipulando com fármacos e intervenções genéticas a formação da cobertura de matriz extracelular dos interneurônios, e outros fenômenos. É claro que os modelos animais estão longe de representar fidedignamente o que ocorre em humanos, mas acendem uma luz de expectativa de que os mecanismos biológicos do

---

[138] O neurocientista argentino Mariano Sigman escreveu um livro muito acessível e interessante no qual aborda essas inesperadas capacidades cognitivas dos bebês e crianças pequenas: Sigman (2017).

[139] Dificuldade na percepção de profundidade e de objetos tridimensionais que resulta do desacoplamento dos olhos que o estrabismo produz.

[140] J. J. LeBlanc e M. Faggiolini (2011). Revisão sobre períodos críticos e a hipótese de que eles estão na base dos mecanismos que causam o autismo.

autismo e outros transtornos do desenvolvimento possam ser relacionados aos períodos críticos, e desse modo melhor controlados no futuro (**Figura 6.2B**).

Por meio de neuroimagem de ressonância magnética funcional de estados de repouso, mais facilmente do que no caso de fetos dentro do útero, redes funcionais podem ser observadas em bebês e crianças pequenas dormindo ou sob sedação leve, e fornecem informações importantes. A mais conhecida dessas redes é a DMN, como já comentamos, mas outras podem ser estudadas, como as redes atencionais dorsal e ventral, a rede de controle executivo frontoparietal, a rede sensório-motora e a rede visual[141]. Todas elas indicam que as regiões corticais responsáveis pela atenção, controle executivo e controle motor, pela sensibilidade tátil e pela visão, estão ativas desde pelo menos a 26ª semana de gestação, e aumentam gradativamente a sua comunicação recíproca após o nascimento a termo. A identificação de um padrão normotípico de desenvolvimento, evidentemente, pode ser útil para predizer a possibilidade de ocorrência de transtornos neuropsicológicos do desenvolvimento. Mas essa capacidade preditora ainda não é possível em termos individuais.

O cérebro humano aumenta gradativamente de volume durante a vida pós-natal, como pôde ser aferido por um projeto longitudinal de neuroimagem por ressonância magnética, realizado pelos Institutos Nacionais de Saúde dos Estados Unidos[142]. O máximo de volume é atingido aos 10,5 anos nas meninas, e aos 14,5 anos nos meninos, declinando suavemente em seguida, em ambos. A diferença entre os sexos não implica necessariamente nenhuma diferença funcional, e acompanha o dimorfismo geral do corpo humano.

Os volumes regionais desenvolvem-se com ligeiras diferenças em relação ao volume total: o córtex cerebral atinge o máximo volume por volta dos 8 anos em meninas, 9 anos em meninos. O corpo estriado e o tálamo – regiões subcorticais – têm curvas um pouco mais tardias (12 e 15 anos, e 14 e 17 anos, respectivamente). O cerebelo (região associada ao controle motor e à aprendizagem motora) atinge o máximo volume aos 11,3 anos em meninas, em média, e aos 15,6 anos em meninos. No córtex, as áreas sensoriais são as primeiras a alcançar o máximo de desenvolvimento, seguidas das áreas de processamento mais complexo (associativas), sendo as últimas as regiões pré-frontais. O declínio que se segue ao máximo provavelmente representa o ajuste fino nos circuitos sinápticos, incluindo a fase de poda sináptica e morte celular. A substância branca do cérebro (onde predominam fibras nervosas que conectam diferentes regiões) tem perfil diferente de desenvolvimento: em vez de uma curva em U invertido, cresce continuamente até atingir um platô por volta dos 20 anos. Esse crescimento pode ser interpretado como devido ao aumento da cobertura de mielina das fibras nervosas, o que resulta em maior velocidade de condução do impulso nervoso, ou seja, aumento da eficiência na comunicação entre as áreas cerebrais[143].

---

[141] C. D. Smyser e J. J. Neil (2015). Revisão da metodologia e dos resultados de estudos de imagem em recém-nascidos.

[142] J. Giedd e cols. (2015). Um dos raros estudos longitudinais sobre o desenvolvimento morfológico do cérebro humano.

[143] Z. Nagy e cols. (2004) e T. Klingberg (2014). Dois trabalhos do mesmo grupo, relacionando o de-senvolvimento cognitivo com o desenvolvimento neural nas crianças.

Essas curvas de maturação do cérebro ao longo da infância até a adolescência e a vida adulta se refletem no amadurecimento das habilidades linguísticas da criança, tanto para falar e compreender, como para ler e escrever. Também amadurece em paralelo a capacidade de controle executivo, em que a impulsividade juvenil vai gradativamente sendo substituída por reações mais pausadas e prudentes.

## ADOLESCÊNCIA: EM BUSCA DE CONTROLE

A adolescência é definida como um período de transição entre a infância e a vida adulta, e é durante esse período que ocorre a puberdade, fase em que amadurecem diversas glândulas endócrinas que impactam nos órgãos sexuais secundários, tornando o corpo da criança gradativamente adulto. As alterações fenotípicas da adolescência podem ser avaliadas pela escala de Tanner[144], que qualifica e quantifica o desenvolvimento físico de crianças, adolescentes e adultos, com base nas características sexuais primárias e secundárias, como por exemplo o tamanho dos seios, volume dos testículos, desenvolvimento da cobertura de pelos pubianos, e outras características.

A definição do rumo das características físicas e também comportamentais das crianças é influenciada por um período crítico pré-natal, e refinada durante um segundo período sensível que é a puberdade. O feto humano, em um primeiro momento, produz hormônios esteroides que atuam sobre o seu próprio desenvolvimento e têm capacidade preditiva sobre o comportamento posterior, como mostrado por estudos longitudinais combinando amniocentese[145] e dosagem hormonal, correlacionadas com as características fenotípicas comportamentais posteriores da criança[146]. É o que se chama *efeito organizador* dos hormônios sobre o cérebro e o comportamento. Em um segundo momento, na puberdade, ocorre um refinamento que, obviamente, é fortemente influenciado pelo ambiente social e psicológico da criança[147]. É o que se conhece como *efeito ativador* dos hormônios sobre o cérebro e o comportamento. O dimorfismo sexual, tão evidente fisicamente, é mais sutil e difícil de determinar em termos comportamentais, porque depende mais fortemente de contingências socioambientais. Isso torna a diferenciação de comportamentos "tipicamente masculinos" de outros "tipicamente femininos" um assunto bastante polêmico e carente de cuidadosa validação científica[148].

---

[144] W. A. Marshall e J.M. Tanner (1969 e 1970). Dois trabalhos clássicos que reúnem os critérios morfológicos corporais definidores das mudanças da puberdade, respectivamente em meninas e meninos.

[145] Método de extração do líquido amniótico, contido dentro do útero materno, que banha o corpo do bebê em gestação. O líquido retirado contém células fetais, que podem ter suas características cromossômicas e bioquímicas analisadas. O próprio líquido pode ter a sua composição bioquímica determinada.

[146] B. Auyeung e cols. (2013).

[147] K. M. Schulz e cols. (2009).

[148] D. Pfaff (2011); A. V. Oliveira-Pinto e cols. (2015 e 2016). O livro de Donald Pfaff é bastante interessante para quem se interessa pelas diferenças entre os sexos, sob o ponto de vista científico. Os dois artigos são exemplos de dimorfismo morfológico, resultantes do trabalho de nosso grupo na UFRJ.

**84**   CAPÍTULO 6 | CRIANÇAS: UMA LONGA TRANSIÇÃO

Ao contrário do que comumente se pensa, ambos os sexos produzem tanto androgênios (conhecidos também como hormônios "masculinos") quanto estrogênios (os hormônios "femininos")[149]. A diferença é a concentração relativa de ambos e de seus receptores, e sua influência no desenvolvimento corporal e psicológico. A "explosão hormonal" da adolescência ocorre na maioria das glândulas endócrinas, sob o comando de uma região cerebral chamada hipotálamo, encarregada da regulação da homeostasia, isto é, da manutenção e modulação do equilíbrio fisiológico do organismo. O hipotálamo está ligado, por meio de fibras nervosas e de hormônios que seus neurônios secretam, com a hipófise, a glândula endócrina que comanda as demais. Os hormônios hipofisários são liberados na corrente sanguínea e têm ação à distância, em outras glândulas que secretam outros hormônios, ou diretamente em órgãos do corpo.

No início da puberdade, vários desses fenômenos hormonais aparecem. O hormônio do crescimento, que a hipófise produz crescentemente sob comando hipotalâmico, acelera o desenvolvimento corporal, e os hormônios produzidos pelas gônadas sob comando hipofisário causam o aumento das mamas, da genitália, do útero e dos ovários nas meninas, e dos testículos e do pênis nos meninos. Os hormônios hipofisários também influenciam as glândulas suprarrenais, cujos hormônios (testosterona e estrogênios, principalmente) atuam sobre o crescimento dos ossos, a distribuição dos pelos pubianos, axilares, faciais e corporais, bem como a ovulação e a espermatogênese.

O período sensível da adolescência inclui também a fase em que se completa o desenvolvimento morfofuncional do córtex pré-frontal (lateral e medial) e suas conexões com o hipocampo e o chamado sistema mesolímbico de recompensa, partes de um circuito essencial ao controle das funções executivas (inibição de resposta, supressão de interferência e automonitoramento de desempenho[150]) e da memória de trabalho das pessoas[151]. Em virtude dessa relativa imaturidade cerebral, os adolescentes apresentam maior atividade no corpo estriado ventral (sistema de recompensa), e maior atividade na amígdala (sistema de avaliação da valência emocional dos estímulos externos) do que as crianças e os adultos. Isso os torna mais suscetíveis a apreciar desafios e correr riscos. Essa fase é detectável por neuroimagem de ressonância magnética morfológica e funcional, e sua correlação com os níveis hormonais durante o desenvolvimento pode ser evidenciada[152].

A adolescência, portanto, marca tanto o amadurecimento fisiológico como neuropsicológico dos seres humanos, que assim sedimentam seu cérebro para a vida adulta. É a transição definitiva para nosso perfil neuropsicológico, sobre o qual vai se exercer a neuroplasticidade adulta, mediante mecanismos bastante diferentes dos que operam durante a infância.

---

[149] M. S. S. Vitalle (2014). Excelente revisão sobre as alterações hormonais da adolescência.

[150] A *inibição de resposta* consiste em sustar um comportamento durante um certo tempo, para avaliar melhor a situação e então emitir a resposta mais adequada; a *supressão de interferência* consiste em bloquear os estímulos desimportantes de um conjunto, para focar a atenção no que for importante; e o *automonitoramento de desempenho* consiste na capacidade de analisar criticamente seu próprio comportamento, corrigindo "on-line" os rumos tomados.

[151] V. P. Murty e cols. (2016).

[152] M. V. Lombardo e cols. (2012); E. A. Crone e B. M. Elzinga (2015). Correlação entre dados de neuroimagem e parâmetros neuroendócrinos da adolescência.

# O Conectoma Mutável

Cada pessoa tem o seu cérebro: o meu é diferente do seu. O de uma pianista é diferente do de uma jogadora de futebol. Além disso, o cérebro muda constantemente desde que nascemos. Quer dizer: o acervo de circuitos e redes de nosso cérebro é vastamente mutável. Como então estudá-lo? Como então entendê-lo? Neste capítulo, você verá que isso é realmente difícil, e terá uma visão ainda mais abrangente da neuroplasticidade, focando-a como a capacidade do cérebro de modificar todo o seu software (os programas de processamento de informação), por meio de mudanças de longo alcance no seu hardware (os circuitos neuronais que compõem a sua base biológica).

As redes cerebrais são definidas como conjuntos de áreas do sistema nervoso central com atividade sincrônica durante uma dada função. Atividade sincrônica não significa atividade igual. Daí que uma boa metáfora que temos utilizado seja a da orquestra. O concerto das áreas cerebrais representa sua ação cooperativa, mas não necessariamente idêntica, essencial para a execução coordenada das funções. Pode estar presente, mesmo de modo indiferenciado, desde o nascimento (como é o caso da linguagem oral), ou ser reciclado a partir do recrutamento seletivo pela educação e a cultura. Neste caso, o direcionamento biológico levaria essas regiões cerebrais de uma função determinada evolutivamente, como o reconhecimento de faces da mesma espécie, para uma outra determinada pela aprendizagem estruturada que a sociedade construiu na forma de educação. É o caso da leitura e da matemática, como vimos.

Mas como explicar que as regiões em rede consigam esse funcionamento sincrônico tão organizado, estando situadas em pontos às vezes bastante distantes no mesmo hemisfério ou no hemisfério oposto? A interpretação mais aceita é que as regiões ativadas em sincronia devem ser conectadas anatomicamente por feixes da substância branca, direta ou indiretamente. Portanto, é concebível supor que esses feixes alojam circuitos de longa distância formados durante o desenvolvimento e sujeitos à plasticidade derivada do ambiente. Em consonância com esse ponto de vista, acredita-se que o cérebro dos mamíferos deve ter desenvolvido um complexo mapa de conectividade, altamente eficiente (o chamado *conectoma*), que o capacita a desempenhar um vasto repertório funcional[153]. E não só isso: o conceito de conectoma se aplica também ao nível da conectividade local, ou seja, aos microcircuitos que formam as colunas do córtex cerebral, os núcleos das regiões subcorticais, enfim, todos os módulos e microrregiões do sistema nervoso central.

Os estudos sobre o conectoma, em qualquer dos níveis mencionados, utiliza comumente os chamados **grafos** para descrever a rede de conexões em estudo. Os grafos envolvem alguns conceitos básicos que é preciso compreender previamente: o de *nós* (unidades interconectadas) e o de *conectores ou arestas*[154] (as conexões propriamente ditas). Ambos são representados por pontos e linhas, respectivamente, formando conjuntos interligados (**Figura 7.1A**). Um nó é considerado de baixo grau quando tem poucas arestas, ou de alto grau no caso contrário. Nós de alto grau são geralmente chamados *polos*[155], e uma sequência de nós interconectados é chamada *caminho*[156]. Os nós podem estar organizados em *módulos*, e estes podem constituir conjuntos tipo *clube-rico* (composto por nós de alto grau) ou tipo *pequeno-mundo*[157] (composto por nós próximos). Essa simpática terminologia é aplicada também às redes neurais ou aos microcircuitos neuronais, que podem então ser representados por meio de grafos, até com uma apresentação próxima da anatomia real do cérebro (**Figura 7.1B** e **C**).

---

[153] O. Sporns (2012). Livro muito interessante que descreve o conceito e as tentativas de revelar o acervo de circuitos do cérebro humano (conectoma). Trata-se de uma obra introdutória essencial para o estudo da *conectômica*.

[154] *Nodes* e *edges*, respectivamente, em inglês.

[155] *Hubs*, em inglês.

[156] *Pathway*, em inglês.

[157] É assim mesmo a terminologia criada pelos estudiosos de grafos: *rich-club* e *small-world* (em inglês).

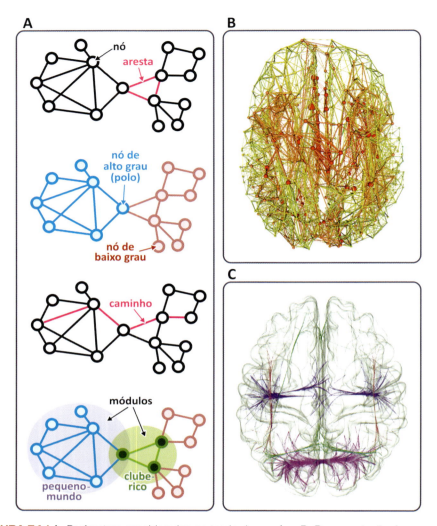

**FIGURA 7.1 |** **A**. Parâmetros considerados na teoria dos grafos. **B**. Representação da conectividade cerebral (o conectoma humano, embora incompleto) por meio de um grafo com 1.750 nós (= áreas cerebrais) e suas arestas (conexões entre as áreas). **C**. Representação da conectividade estrutural das redes funcionais, com maior realismo anatômico do que a representação em grafos. Cada rede está representada por uma cor diferente. **B** reproduzido de M. P. van den Heuvel e O. Sporns (2011), e **C** modificado de J. Böttger e cols. (2014), em ambos os casos com a permissão dos autores.

## O GIGANTESCO MAPA DAS CONEXÕES NEURAIS

Depois que a chamada Década do Cérebro[158], nos Estados Unidos, fez florescer como nunca a pesquisa em neurociência e o conhecimento sobre o

---

[158] A Década do Cérebro (1990-2000) foi uma iniciativa do Congresso norte-americano, endossada pelo Presidente George W. Bush, destinada a fomentar a divulgação científica e o financiamento da pesquisa em neurociência nos Estados Unidos. A iniciativa repercutiu em outros países, e resultou em grande avanço no conhecimento sobre o sistema nervoso.

sistema nervoso, outras iniciativas se sucederam, sendo as mais recentes delas voltadas para a elucidação do conectoma cerebral. Destacam-se o Projeto Cérebro Humano[159], financiado pela União Europeia, o Projeto Cérebro Azul[160], liderado pela Suíça como parte do HBP, e a Iniciativa B.R.A.I.N.[161] do governo de Barack Obama, nos Estados Unidos, que inclui o Projeto Conectoma Humano[162].

O objetivo maior desses projetos ambiciosos é revelar o mapa completo dos circuitos cerebrais de diferentes espécies inclusive a humana, bem como de suas funções, permitindo assim não apenas compreender melhor a natureza da mente e seu desenvolvimento orientado pela educação, como também a dos transtornos psiquiátricos que impactam a aprendizagem e afligem um imenso número de pessoas em todo o mundo.

Será que isso é possível?

Bem, há pelo menos três desafios a vencer. O primeiro é a diferença de precisão que pode ser obtida abordando os vários níveis heurísticos de existência do sistema nervoso. A quantidade de dados e o respectivo processamento analítico, como veremos em seguida, são inteiramente distintos entre os níveis macro, meso e microscópicos. O nível microscópico é praticamente impossível de estudar, no cérebro humano, com as ferramentas atualmente disponíveis. Só se consegue fazê-lo em modelos animais. O segundo desafio é o da variabilidade individual. O meu conectoma talvez seja diferente do seu, e o seu diferente do de Chico Buarque... simplesmente porque os genomas são distintos, e as experiências de vida idem. Isso vale inclusive para gêmeos idênticos, cuja morfologia e funcionalidade cerebrais, nos vários níveis, podem ser diferentes. O terceiro desafio é justamente a tal "experiência de vida", que determina as diferenças que o ambiente impõe sobre a constituição e a funcionalidade do cérebro – é a neuroplasticidade, como temos visto amplamente ao longo deste livro. O conectoma, que por si só é tão complexo, ainda por cima é mutável e inconstante ao longo de toda a vida!

Obviamente, como já discutimos, o sistema nervoso apresenta diversos níveis de existência, e portanto, o improvável desvendamento do conectoma pode ser tentado para cada um desses níveis, simplificadamente concentrados em três. O conectoma de *macroescala* revela quais áreas cerebrais se conectam com quais outras, e só pode ser estudado no cérebro humano utilizando técnicas não invasivas de imagem por ressonância magnética. O conectoma de *mesoescala* tem resolução um pouco mais fina, mas é capaz de revelar quais sub-regiões das áreas cerebrais se conectam com quais outras. A metodologia de estudo é necessariamente invasiva, pois depende da injeção de rastreadores, moléculas injetadas no cérebro de animais, que são capturadas pelos neurônios e transportadas ao longo dos axônios, deixando um rastro que pode ser identificado ao microscópio óptico. E finalmente, o conectoma de *microescala* só

---

[159] *Human Brain Project* ou HBP, em inglês: https://www.humanbrainproject.eu/en/
[160] *Blue Brain Project*, em inglês. Este projeto de nome tão poético visa a construir modelos matemáticos realistas dos circuitos cerebrais do rato por meio de engenharia reversa, ambicionando chegar, numa fase posterior, ao cérebro do rato como um todo. Veja em http://bluebrain.epfl.ch/
[161] Acrônimo de **B**rain **R**esearch through **A**dvancing **I**nnovative **N**eurotechnologies, ou Brain Initiative: http://www.braininitiative.org/
[162] *Human Connectome Project*, em inglês: http://www.humanconnectomeproject.org/

pode ser utilizado em fragmentos de tecido de animais, ou em animais muito pequenos, pois depende de tecnologias especiais de microscopia com alta resolução[163] (de luz comum, confocal, de dois fótons, eletrônica e outras).

Cada rede revelada, como vimos, é formada por milhões ou mesmo bilhões de neurônios e suas conexões, o que significa uma quantidade gigantesca de informações que têm que ser processadas para revelá-los. Uma das estratégias com essa finalidade em microescala é a que o Projeto Cérebro Azul utiliza. Os pesquisadores dos vários países que participam desse esforço têm-se dedicado a reconstruir, por meio de técnicas de microscopia automatizada, a morfologia fina e as conexões dos neurônios que fazem parte de um tipo de módulo (coluna) do córtex somestésico do rato. As colunas corticais são consideradas módulos repetitivos, conjuntos de neurônios e células gliais cujas conexões estabelecem uma unidade estrutural e funcional que se repete nas várias regiões. Como já mencionamos, há quem defenda que as redes dos módulos são "canônicas", ou seja, homogêneas ao longo de todo o córtex[164]. Se fosse assim, revelar o conectoma de um módulo significaria revelar a unidade de processamento do córtex cerebral, o que permitiria um trabalho de busca das operações funcionais desse módulo, e assim chegar à operação global da região considerada, apenas pela multiplicação pelo número de módulos. Explicação um tanto simplista, que parece não ser verdadeira.

Em um trabalho recente[165], o pessoal do Projeto Cérebro Azul definiu um volume cortical de cerca de 3 mm$^3$ contendo em torno de 30 mil neurônios, para estudar a sua conectividade. O número de conexões calculadas para esse pequeno segmento do córtex do rato atingiu quase 40 milhões de sinapses!

O grupo primeiro fez um levantamento dos tipos morfológicos dos neurônios de uma coluna cortical do córtex somestésico do rato (*m-tipos*): foram quase 70 tipos de neurônios identificados. Milhares desses neurônios tiveram sua morfologia dendrítica e axônica completamente reconstruída em 3D com técnicas de microscopia automatizada. A seguir, fizeram um levantamento da diversidade eletrofisiológica desses neurônios (*e-tipos*): os que disparavam frequências constantes de impulsos, os que disparavam frequências decrescentes, os que disparavam aleatoriamente, e outros. Os e-tipos foram associados aos m-tipos, e levaram à identificação de mais de 200 *me-tipos*, isto é, neurônios de uma dada morfologia que possuem um determinado perfil de disparo de impulsos nervosos (**Figura 7.2**). Depois desses levantamentos resultantes de experimentos diretos em ratos, os pesquisadores passaram a desenvolver algoritmos capazes de reconstruir digitalmente a conectividade morfofuncional desses neurônios, inclusive com o objetivo de realizar previsões sobre a funcionalidade deles interagindo em rede. Isso levou ao número espantoso de 8 milhões de conexões *ativas* em um único microcircuito no córtex do rato.

---

[163] S. R. Schultz e cols. (2017); L. W. Whitehead e cols. (2017); C. A. Combs e H. Shroff (2017); I. Begemann e M. Galic (2016). Quatro exemplos de revisões recentes sobre as técnicas modernas de microscopia.

[164] R. J. Douglas e cols. (1989). Esse é o trabalho que lançou o conceito de circuito canônico dos módulos corticais.

[165] H. Markram e cols. (2015). Este é um artigo de quase 90 autores que descreve pela primeira vez uma reconstrução digital da microcircuitaria cortical.

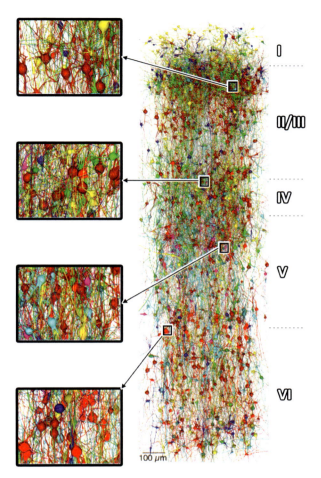

**FIGURA 7.2 |** Ilustração dos m-tipos de neurônios inibitórios do córtex cerebral do rato, coloridos de acordo com os e-tipos correspondentes. Os quadros à esquerda são ampliações dos retângulos colocados sobre a figura da direita. Modificado de H. Markram e cols. (2015), com a permissão do autor.

Tendo em vista esses números gigantescos, imagine a complexidade experimental e computacional para chegar ao conectoma humano, no nível microscópico. Como realizar experimentos semelhantes em seres humanos, nos quais só se pode utilizar microeletródios em circunstâncias muito especiais? E como dispor de supercomputadores – na verdade "hiperultrassupercomputadores" – com capacidade de processamento suficiente? Um levantamento recente[166] levou em conta o tempo de computação e análise utilizado por pesquisadores chineses em um trabalho apresentado em congresso, para estudar as conexões de 135 mil neurônios de uma mosca: cerca de 10 anos! A autora da reportagem estimou em 17 milhões de anos o tempo que seria necessário para fazer o mesmo no cérebro humano, com as ferramentas computacionais de hoje...

---

[166] E. Landhuis (2017). Trata-se de um artigo jornalístico publicado pela revista britânica Nature.

Não é à toa que o único organismo que teve até o momento o seu conectoma completamente revelado foi o pequeno verme *Caenorhabditis elegans*. A empreitada consistiu no levantamento de todas as conexões de 280 neurônios, 6.393 sinapses químicas, 890 junções comunicantes e 1.410 sinapses neuromusculares[167]. Fichinha, em relação aos números humanos!

Desse modo, uma estratégia menos complexa e mais viável atualmente é considerar o nível de meso- e macroescala das conexões entre áreas corticais reveladas principalmente por técnicas de neuroimagem de ressonância magnética, associadas a outras metodologias que revelam a funcionalidade dessas áreas. Os resultados, neste caso, têm sido animadores, e cada vez mais rápidos.

## ▶▶ EM BUSCA DO CONECTOMA HUMANO

Uma primeira etapa no desvendamento do conectoma humano é partir das redes ativas já descritas, até mesmo da rede de modo padrão, ativa em condições de repouso (reveja a **Figura 5.2**). Elas existem em todas as pessoas, o que significa que as regiões ativas são por natureza fortemente interconectadas. Desse modo, supondo que realmente esse seja o caso, seria possível estudar as conexões correspondentes utilizando técnicas como a neuroimagem do tensor de difusão (DTI[168]), que revelam os feixes da substância branca que conectam regiões cerebrais (**Figura 7.3A**). Isso foi feito, e verificou-se que as regiões ativas são conectadas estruturalmente pelos feixes de fibras revelados com a técnica de DTI. Esta técnica de neuroimagem por ressonância magnética consegue detectar a direcionalidade do movimento das moléculas de água no tecido cerebral. Ocorre que na substância branca, formada por fibras paralelas compactadas e fortemente mielinizadas, as moléculas de água tendem a se mover predominantemente na mesma direção das fibras, enquanto na substância cinzenta o movimento ocorre em todas as orientações do espaço. Desse modo, o equipamento detecta a orientação predominante e desenha por computação gráfica a posição e o trajeto das fibras.

Tendo registrado por DTI o conjunto de conexões estruturais das redes ativas (não somente da rede de modo padrão), os pesquisadores[169] puderam chegar a uma matriz de conectividade que demonstra quem se conecta com quem no cérebro humano em repouso (**Figura 7.3B**). A matriz de conectividade é um modo de representação que enfatiza em cores a intensidade da conexão. As duas ordenadas da matriz mostram as mesmas áreas corticais, e as cores quentes (amarelo, laranja, vermelho) representam as conectividades mais fortes. Repare que cada "quadrado ativo" na matriz, representa uma rede diferente, mostrada à direita. E cada quadradinho representa a conexão entre a região mostrada na ordenada vertical, com outra região mostrada na ordenada horizontal do gráfico.

---

[167] Varshney e cols. (2011). Este artigo é a última atualização do conectoma do *C. elegans* no momento em que escrevo (2018). O mapa completo pode ser encontrado em: http://www.wormatlas.org/neuronalwiring.html.

[168] Tradução do inglês *Diffusion-Tensor Imaging*.

[169] M. E. Raichle (2011). Michael Raichle foi um dos pesquisadores que primeiro identificaram o sistema de modo padrão no cérebro humano, e que continua a estudá-lo, agora sob a ótica da conectômica.

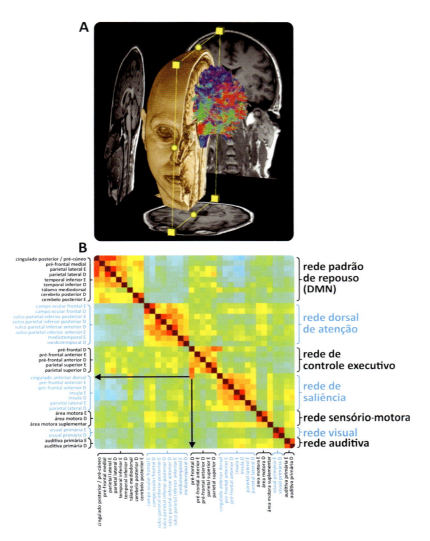

**FIGURA 7.3 | A.** O conectoma pode ser representado pelos feixes de substância branca que conectam as diversas regiões cerebrais. Esses feixes são representados em diferentes cores, de acordo com a sua direção. Essa representação é mais realista, do ponto de vista anatômico, mas não informa sobre a funcionalidade dos feixes, nem sobre a natureza da informação transmitida entre as regiões cerebrais ativas. Imagem cedida por Fernanda Meireles, do Instituto D'Or de Pesquisa e Ensino. **B.** A matriz de conectividade representa "quem conversa com quem, e quanto" no cérebro, mas por sua vez não tem relação com a anatomia real. A matriz mostra, por exemplo, que o córtex cingulado anterior dorsal (setas) "conversa" com o córtex pré-frontal. As cores quentes dos quadradinhos (laranja, vermelho), representam conectividade mais forte que as cores frias (verde, azul). Modificado de M. Raichle (2011), com a permissão do autor.

As matrizes de conectividade não são muito realistas na maneira de representar o conectoma, o que levou à utilização dos grafos[170], inicialmente calculados usando algoritmos de topologia em duas dimensões, com dados

---

[170] M. P. van den Heuvel e O. Sporns (2011).

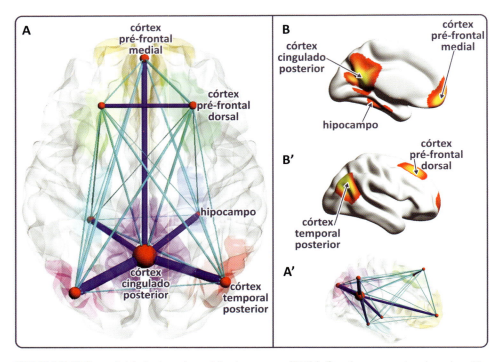

**FIGURA 7.4** | Conectividade da rede padrão de repouso (DMN). Os nós e as arestas da rede estão mostrados em **A** (vista dorsal) e **A'** (vista lateral direita), e as áreas ativas são mostradas em **B** (vista da face medial) e **B'** (vista lateral direita). Note que o grau dos nós está representado pelo tamanho das esferas vermelhas, e a força da conectividade está indicada por arestas azul-escuro (as mais fortes) ou azul-claro (as mais fracas). Modificado de Y. Tao e cols. (2015).

obtidos de imagens de ressonância, apenas conectando os nós e polos das diversas redes. Dependendo da escala considerada, cada nó pode representar uma região cerebral ou um módulo cortical. Os polos, como já vimos, são os nós (regiões ou módulos) com alto grau de conectividade.

O passo seguinte foi reposicionar os nós e arestas sobre imagens "transparentes" do cérebro (**Figura 7.4**), o que já apresenta uma imagem bastante mais realista do conectoma humano[171]. Um problema desse modo de representação é que só mostra quem se conecta com quem, mas que fornece pouca informação sobre a força das conexões, e nenhuma sobre o sentido delas: de lá para cá ou de cá para lá? Essas variáveis dependem do grau de mielinização das fibras, da densidade neuronal e sináptica de cada região, do balanço entre excitação e inibição em cada nó, e muitas outras características de microescala que não estão disponíveis diretamente nos dados de imagem obtidos em seres humanos.

De qualquer modo, é possível calcular tentativamente a força da conectividade com base nos dados funcionais e depois gerar grafos eliminando os nós de baixo grau (pouco conectados), salientando apenas as conexões dos polos (nós muito conectados). Além disso, a força das conexões é representada por

---

[171] P. Hagmann e cols. (2008).

arestas coloridas cuja espessura denota também a sua força de conexão. Os clubes-ricos (regiões de alta densidade de conexões) podem ser vistos com mais nitidez eliminando as arestas de nós pouco conectados (**Figura 7.4**).

Os estudos de conectômica baseados nos dados de conectividade por ressonância magnética e na teoria de grafos, como descrevemos sucintamente, permitem algumas conclusões interessantes. Primeiro, a simples inspeção dos grafos mostra a presença de pequenos-mundos concentrados em alguns pontos do córtex cerebral. São as regiões funcionais que processam a visão, a audição, a atenção, enfim, cada uma das chamadas "funções neurais básicas". Esses módulos de alta conectividade otimizam o processamento de informação em cada esfera funcional, porque as distâncias são curtas e o processamento assim é mais rápido. Em segundo lugar, mesmo com a concentração de nós nos pequenos-mundos e clubes-ricos, estes apresentam conexões de longa distância entre si, o que permite a integração entre as grandes funções neurais. O cérebro processa informações em módulos segregados, mas se comunica a longa distância em muitas direções para integrar os módulos em conjuntos funcionais relevantes para o comportamento, o pensamento e as emoções.

Ressalta desse tipo de estudo, o clube-rico (rede) formado por pequenos-mundos (módulos) nos córtices pré-frontal, cingulado e temporal, além de várias regiões subcorticais que o grafo não mostra. Todos são regiões participantes da rede neural do modo padrão, isto é, altamente interativas no cérebro humano "pensativo" em repouso.

É claro que os pesquisadores podem replicar esse mesmo tipo de análise às demais redes já conhecidas e descritas. E ao fazerem isso conseguem avaliar a participação de cada região cerebral no contexto da rede, e suas características segundo a teoria dos grafos. O que se espera para os próximos anos é que esse conjunto de informações se amplie bastante, e seja possível chegar ao total das conexões e redes do cérebro humano: teremos então conseguido revelar o conectoma humano! Será?

## ▶▶ PLASTICIDADE DE LONGA DISTÂNCIA: O CONECTOMA MUTÁVEL

A ambiciosa empreitada que acabamos de mencionar, infelizmente, não será tão simples. Senão vejamos.

Circuitos de longa distância compõem um importante setor de todas as áreas cerebrais, a substância branca. Já mencionamos como a substância branca pode ser estudada por ressonância magnética no cérebro humano, ilustrando-a com o personagem principal deste capítulo (**Figura 7.3A**). A substância branca é formada por grandes quantidades de fibras nervosas, todas elas conectando neurônios a diferentes distâncias. Difere da substância cinzenta, na qual os corpos celulares dos neurônios se aglomeram dentro dos módulos já mencionados. Inclui fibras direcionadas a uma multiplicidade de áreas cerebrais, e constituem os principais canais pelos quais os neurônios conduzem informação a outros neurônios à distância.

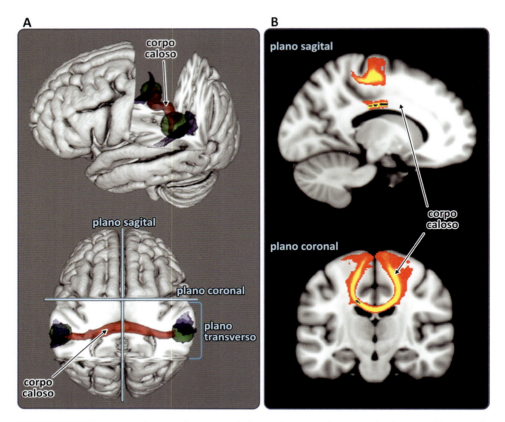

**FIGURA 7.5** | O corpo caloso pode ser revelado por imagens de ressonância magnética em diversos planos de corte. Em **A**, esses planos são apresentados, com o corpo caloso enfatizado (em vermelho) pelo seu componente que conecta as regiões auditivas (em azul e verde). Esse componente é importante na integração da fala com a prosódia. Em **B**, as cores representam regiões calosas possivelmente mais mielinizadas, em músicos com prolongado treinamento (desde a infância). Esta imagem é representativa da neuroplasticidade das conexões calosas em músicos. **A** modificado de S. Elmer e cols. (2013), e **B** modificado de C. J. Steele e cols. (2013), ambos com a permissão dos autores.

Tomemos então o exemplo do corpo caloso. Esse enorme feixe faz parte da substância branca (**Figura 7.5**) que conecta especificamente um hemisfério com o outro. Acredita-se que inclua cerca de 200 milhões de fibras, interconectando regiões corticais pertencentes a muitos domínios funcionais: visuais, auditivas, emocionais, cognitivas, mnemônicas e muitas outras[172]. É o maior feixe de fibras do cérebro, e existe em quase todas as espécies de mamíferos.

O corpo caloso começa a ser formado em humanos por volta das 12 semanas de gestação[173], simultaneamente com outros feixes da substância branca.

---

[172] F. Aboitiz e cols. (1992); D. Sammler et al. (2010); K. Shen e cols. (2015). O primeiro artigo é um clássico que examina a composição de fibras do corpo caloso humano. O segundo e o terceiro são mais recentes, e tratam da função calosa de coordenação inter-hemisférica.

[173] P. Rakic e P. I. Yakovlev (1968). Outro clássico, neste caso descritor do desenvolvimento morfológico do corpo caloso humano.

Os mecanismos que governam a complexa capacidade das fibras individuais – calosas e muitas outras – de alongar-se na direção certa fazendo curvas e produzindo ramificações, até encontrar seus alvos exatos após um longo trajeto pelo cérebro, estão agora começando a ser revelados[174]. O crescimento axônico orientado envolve grande número de sinais moleculares e celulares expressos no lugar certo e no momento certo. É o caso das fibras calosas, que emergem de algumas células piramidais do córtex cerebral de cada hemisfério, crescem em direção à substância branca, onde bifurcam ou se curvam diretamente em direção ao plano mediano[175] e, depois de cruzar aí, retomam a jornada até alcançar principalmente as regiões homotópicas simétricas no hemisfério oposto.

As fibras calosas são fundamentais para fornecer às pessoas a capacidade de realizar com sucesso interações complexas entre os dois lados do corpo e entre os dois lados do mundo em torno, bem como intercomunicar regiões do cérebro em cada hemisfério, que parecem semelhantes mas funcionam de modo diferente[176]. É por intermédio do corpo caloso que a criança aprende a associar a fala com a prosódia, por exemplo, já que cada uma dessas funções é comandada essencialmente por um dos hemisférios cerebrais. Por *fala* entendemos a capacidade de veicular ideias utilizando sons produzidos pelas estruturas anatômicas da garganta e da face. A fala sempre transmite um conteúdo racional que deriva de nossos pensamentos. No entanto, é modulada por emoções, de um modo que às vezes transforma completamente o significado do conteúdo frio e racional de uma frase. Trata-se da *prosódia*. Pense em um "sim" e um "não". Todos nós já vivenciamos situações na vida em que um "sim" significou "não", e outras nas quais um "não" significou "sim". Esse tipo de modulação emocional do significado da fala é produzido pela entonação que damos às palavras, pela mímica facial, e pelos gestos manuais e corporais que acompanham os sons verbais. Tanto a fala como a prosódia são lateralizadas, geralmente a primeira no hemisfério esquerdo, e a segunda no direito. Quando falamos, é necessário integrar a prosódia com a fala, ou seja, as redes do hemisfério esquerdo com as o direito. Essa é uma típica função do corpo caloso (**Figura 7.5A**), essencial para a plena compreensão das nuances infinitas da comunicação humana, que ultrapassam em muito o significado literal das palavras e frases.

Fibras calosas geralmente empregam o neurotransmissor excitatório glutamato para se comunicar com os neurônios pós-sinápticos no hemisfério oposto. No entanto, por sua vez, a maioria desses neurônios pós-sinápticos utiliza outro neurotransmissor, o ácido gama-aminobutírico ou GABA. Como este último é inibitório, ao final o efeito da ativação calosa pode ser a inibição da área cortical

---

[174] A. Chédotal e L. J. Richards (2010); L. R. Fenlon e L. J. Richards (2015). O primeiro trabalho é uma revisão dos mecanismos celulares e moleculares de atração das fibras calosas pelo plano mediano do cérebro do embrião. O segundo revê os mecanismos que as fazem encontrar os alvos no hemisfério oposto, após o cruzamento.

[175] P. P. Garcez e cols. (2007). Contribuição mecanística do nosso grupo de pesquisa para o desenvolvimento caloso, com repercussões mais recentes sobre a plasticidade.

[176] M. S. Gazzaniga (2005). Artigo de revisão de autoria de um pioneiro na determinação do papel do corpo caloso na consolidação da lateralidade funcional dos hemisférios cerebrais.

simetricamente situada no lado oposto[177]. A força da inibição inter-hemisférica tem sido associada com a aprendizagem e a neuroplasticidade. Um exemplo dessa associação é o corpo caloso dos músicos, que reconhecidamente apresenta maiores efeitos inibitórios sobre o hemisfério oposto do que o dos não músicos. Entre os músicos, o efeito é maior nos que tocam instrumentos de cordas do que nos pianistas. Em ambos os casos, no entanto, o que uma mão faz é diferente daquilo que a outra realiza. Diferente mas relacionado, pois, senão, o resultado não harmoniza... Como cada mão é comandada pelo hemisfério cerebral do lado oposto, para coordenar a ação das duas é preciso que o corpo caloso controle os dois hemisférios combinando ações ativadoras com ações inibidoras, dinamicamente ao longo da execução de cada sequência musical. O que as evidências mostram é que tanto as áreas cerebrais envolvidas quanto suas conexões calosas são diferentes em músicos em comparação com não músicos (**Figura 7.5B**), sugerindo um efeito plástico do treinamento musical[178].

Um exemplo mais drástico é o de indivíduos amputados de um dos membros, que frequentemente apresentam a chamada síndrome do membro fantasma (sensações somáticas, inclusive dor, percebidas como provenientes do membro ausente). Note bem: o indivíduo é amputado de um membro, mas sente fisgadas, formigamento, movimentos e mesmo dor no membro ausente!

É misterioso, mas tem explicação[179]. Mostrou-se que a região cerebral que ficaria "silenciosa" com a ausência do membro amputado, atravessa uma fase de desorganização da microestrutura de suas fibras calosas, resultando em menor inibição do outro lado. Assim, a representação das partes remanescentes adjacentes ao membro amputado acaba se expandindo e ampliando os mapas corporais somático e motor no hemisfério contralateral à amputação. Resultado: qualquer mínima estimulação do coto do membro ou das regiões próximas a ele causa uma sensação estranha de que o membro amputado é que foi estimulado. É que acabam ativadas as áreas cerebrais que toda vida representaram o membro amputado, levando o indivíduo a interpretar a sensação que tem – na contramão de sua própria consciência dos fatos – como proveniente desse membro.

O indivíduo adulto, portanto, pode apresentar importantes modificações plásticas de suas conexões longas (como são as do corpo caloso), induzidas seja pelo treinamento intensivo em alguma habilidade, seja por intervenções mais drásticas resultantes de acidentes traumáticos. Essas modificações já têm uma explicação de microescala. Em experimentos realizados com animais[180], Carlomagno Bahia e Rodrigo Vianna Barbosa descobriram que a mielinização das fibras calosas diminui nos amputados, e a arborização dos axônios calosos se expande. Em conjunto, a diminuição da inibição cruzada e a ampliação do alcance dos terminais axônicos explica a expansão da representação corporal

---

[177] C. Rock e A. J. Apicella (2015); H. Vollmann e cols. (2014). Dois trabalhos recentes que demonstram o papel da inibição na neuroplasticidade do corpo caloso.

[178] C. J. Steele e cols (2013), S. Elmer e cols. (2016). Estes trabalhos mostram exemplos de plasticidade estrutural e funcional no corpo caloso de músicos.

[179] R. Chen e cols. (2002); E. Simões e cols. (2012); I. Bramati e cols (2017). Trabalhos que mostram plasticidade do córtex cerebral em pessoas amputadas, uma condição drástica de eliminação da periferia sensorial.

[180] C. P. Bahia e cols. (2018); R. Vianna-Barbosa e cols. (2018). Trabalhos de microescala que utilizam modelos animais.

no córtex, responsável pelas sensações fantasmas. É um exemplo de neuro-plasticidade de conexões neurais, que alcança longas extensões do córtex e depende da reorganização dos circuitos calosos e locais.

No entanto, o que acontece quando transtornos do desenvolvimento inter-ferem com a formação desses circuitos longos? Quando, por exemplo, ocorre o bloqueio do cruzamento das fibras do corpo caloso através do plano mediano? A tendência é pensar que toda comunicação inter-hemisférica ficaria interrom-pida, já que o corpo caloso está ausente. No entanto, uma situação paradoxal foi revelada pelo neurocientista norte-americano Roger Sperry (1913-1994), prêmio Nobel de Fisiologia ou Medicina de 1981, em uma pessoa que nasceu sem o corpo caloso (disgenesia calosa)[181]. Além de ser cognitivamente normal, essa pessoa não apresentava a clássica síndrome de desconexão inter-hemis-férica, típica de pacientes adultos submetidos à transecção cirúrgica do corpo caloso para fins terapêuticos. Em que consiste essa estranha síndrome? Bem, se você fechar os olhos e alguém colocar em sua mão esquerda um cubo, por exemplo, você o palpará e poderá dizer sem hesitação: este objeto é um cubo! A explicação é simples: a informação proveniente de sua mão esquerda é con-duzida principalmente para seu hemisfério cerebral direito. A fala, no entanto, é produzida pelo seu hemisfério esquerdo, o qual fica sabendo o resultado da manipulação do cubo pela mão esquerda (= hemisfério direito) por meio do cor-po caloso, que interliga os dois lados do cérebro. Nos indivíduos submetidos à transecção cirúrgica do corpo caloso[182], essa conversa entre os hemisférios deixa de existir, e eles não conseguem verbalizar a resposta certa no teste do cubo. O que Sperry descobriu, no entanto, é que quando as pessoas nascem sem o corpo caloso, a desconexão inter-hemisférica não ocorre, e o indivíduo acerta o teste do cubo. E agora? Como explicar?

Dentre as diferentes hipóteses para explicar esse fenômeno, uma delas se tornou mais relevante recentemente: a possibilidade de que feixes anô-malos se formem nesses cérebros, alguns deles cruzando por outras comis-suras[183] situadas no prosencéfalo ventral ou no mesencéfalo. A disgenesia calosa, então, representa um modelo interessante para avaliar a capacidade dos feixes da substância branca de sofrer alterações radicais em sua trajetó-ria, gerando redes inteiramente distintas em virtude da plasticidade de longa distância. Estudamos alguns desses casos[184], e conseguimos revelar nesses

---

[181] R. E. Saul e R. W. Sperry (1968); R. W. Sperry (1968). O primeiro é um trabalho curto, pioneiro, que mostrou a misteriosa ausência da desconexão inter-hemisférica em pessoas nascidas sem o corpo caloso. No segundo, Roger Sperry compara pessoas adultas cujo corpo caloso foi cortado cirurgicamente, com pessoas nascidas sem ele.

[182] Essa cirurgia é indicada no caso de pacientes com epilepsias muito severas, com a finalidade de reduzir a incidência e severidade das crises.

[183] *Comissura* é o termo genérico para os feixes de fibras nervosas que cruzam o pleno mediano do cérebro ou da medula espinhal, em sentidos antiparalelos. Difere de *decussação*, que descreve um cruzamento oblíquo das fibras nervosas. Além do corpo caloso, o primeiro grupo inclui as comissuras anterior, posterior, hipocampal e outras. No segundo caso, o grande exemplo é o da decussação piramidal, que faz com que os movimentos da metade direita de nosso corpo sejam comandados pelo hemisfério esquerdo, e vice-versa.

[184] F. Tovar-Moll e cols. (2014). Trabalho de nosso grupo de pesquisa, que mostrou a formação de um disconectoma no cérebro de indivíduos nascidos com defeitos do corpo caloso, capaz de exercer efeitos compensatórios para algumas funções como, por exemplo, o reconhecimento unimanual de objetos.

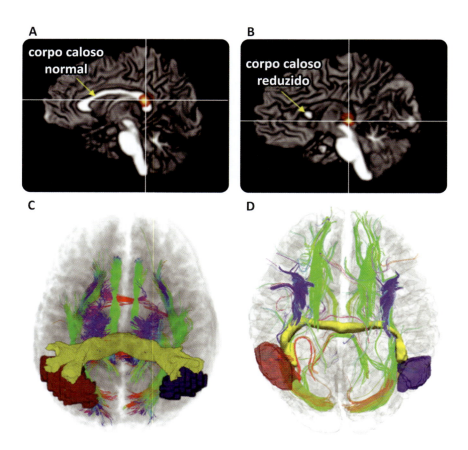

**FIGURA 7.6 |** Plasticidade de longa distância: forma-se um disconectoma quando há transtornos do desenvolvimento do corpo caloso. A e B mostram imagens do hemisfério direito no plano mediano (sagital) do cérebro de um indivíduo com o corpo caloso normal (A) e de um outro praticamente desprovido de corpo caloso (B). O cruzamento das linhas brancas mostra a posição dos feixes calosos que conectam as regiões do córtex (em vermelho e azul, em C e D) encarregadas do reconhecimento bimanual de objetos, como o cubo do exemplo utilizado no texto. C mostra o cérebro normal, com as fibras para reconhecimento intermanual de objetos em amarelo, e D mostra o feixe alternativo que se forma nessas pessoas, conectando as mesmas regiões corticais que identificam objetos, mas cruzando em posição bastante diferente. A imagem em D mostra também os feixes anômalos longitudinais (em verde e azul) dos acalosos. Imagens cedidas por Ivanei Bramati e Lucas Gemal, do Instituto D'Or de Pesquisa e Ensino.

pacientes toda uma circuitaria anômala (**Figura 7.6**), um verdadeiro *disconectoma*. Alguns desses feixes anômalos conectam regiões corticais envolvidas no reconhecimento de objetos, apesar de cruzarem o plano mediano do cérebro em níveis inferiores do sistema nervoso. Mostramos que, apesar das trajetórias anômalas, era possível atribuir-lhes um papel compensatório capaz de integrar as áreas corticais de ambos os hemisférios com a função de possibilitar o reconhecimento cruzado de objetos[185], e assim permitir um desempenho

---

[185] Se você fechar os olhos e alguém colocar um objeto comum em sua mão esquerda, por exemplo, você depois poderá apontar com a outra mão, entre muitas, a fotografia do objeto tateado. Foi o corpo caloso que transferiu a informação de um hemisfério cerebral para o outro, que controla a mão oposta.

normal dos pacientes nessa função. Nosso raciocínio foi de que, durante o desenvolvimento, o conectoma humano pode ser muito alterado não apenas pelo ambiente externo, mas também pelo ambiente interno e pelo genoma, que controlam a embriogênese – é o fenômeno que chamamos *plasticidade de longa distância*.

Conclui-se que o conectoma, portanto, tido como o mapa completo dos circuitos cerebrais humanos, é na verdade altamente plástico, tanto em indivíduos sob intenso treinamento, crianças e jovens certamente, mas até mesmo em adultos. Mais ainda durante o desenvolvimento, desde as fases embrionárias até os primeiros meses após o nascimento.

# Cérebros Interativos: A Neuroplasticidade Transpessoal

Neste capítulo final, você poderá conhecer o nível mais interessante da neuroplasticidade, o mais próximo da realidade educacional: a plasticidade transpessoal. Neste caso, estamos focando o que acontece quando dois ou mais cérebros se comunicam numa situação de ensino-aprendizagem. O que acontece entre eles? Como um modifica o outro? Ambos se influenciam, ambos se modificam. A professora modifica o aluno, mas o aluno também modifica a professora. Por isso, dizemos que a educação é uma interação biunívoca, embora assimétrica.

CAPÍTULO 8 | CÉREBROS INTERATIVOS: A NEUROPLASTICIDADE TRANSPESSOAL **105**

Em contextos sociais, a aprendizagem ocorre entre indivíduos que interagem. Isso significa que as interações recíprocas entre os cérebros desses indivíduos, durante qualquer tipo de comunicação, ativam mecanismos de neuroplasticidade que permitem a estocagem, decodificação e modulação do conteúdo da informação intercambiada.

As interações sociais, entretanto, são fenômenos de grande complexidade, pois envolvem diversos elementos influentes. Você pode simplesmente conversar com uma outra pessoa, mas nessa simples conversa estão presentes muitas influências bastante complexas: o histórico e a natureza da relação de vocês (são amigas de muitos anos ou apenas se conheceram hoje?), o momento e a situação em que a conversa ocorre (há outras pessoas em volta ou estão sozinhas?), o objetivo da interação (conversa de trabalho ou encontro de lazer?), o contorno emocional da conversa (brigaram há pouco, ou estão apaixonadas?), e muitos outros aspectos.

As interações educacionais são um tipo de interação social, pela qual alguém executa ações planejadas para motivar, facilitar ou provocar a aprendizagem de outros. Há duas partes em interação, geralmente um ou alguns professores, e alguns ou muitos alunos. Embora ainda sobreviva um modelo unidirecional de educação, antigo e de baixa eficácia – a aula totalmente expositiva, com alunos passivos –, cada vez mais surgem modelos bidirecionais que exploram a interação recíproca entre as partes. Neste caso, o professor também aprende com os alunos, e estes não apenas absorvem informação, mas desenvolvem as chamadas competências socioemocionais, que os capacitam a produzir informação, ou obtê-la de modo mais criativo e ativo.

Se considerarmos essas interações como produtos da conversa dos cérebros, passa a ser de grande interesse científico conhecer de que modo isso ocorre.

## ◗◗ A CONVERSA ENTRE OS CÉREBROS: NEUROCIÊNCIA EDUCACIONAL

Em virtude da natureza interativa entre os cérebros dos indivíduos que participam do processo de ensino e aprendizagem, os experimentos que exploram essas interações requerem a identificação neuropsicológica dos processos envolvidos, e o registro neurobiológico concomitante da atividade cerebral. Trata-se então de conseguir desenvolver técnicas e protocolos experimentais os mais realistas quanto seja possível, para abordar ao mesmo tempo dois níveis heurísticos: o cérebro e as suas funções psicológicas, em processo interativo.

Assim, observar e registrar duas (ou mais) pessoas/cérebros interagindo, seria de grande valor para compreender os mecanismos subjacentes. As primeiras tentativas não foram planejadas para o contexto educacional, mas simplesmente para investigar de que modo a atividade de um cérebro durante uma função cognitiva ou emocional repercute em um outro. Silke Anders[186] e

---

[186] S. Anders e cols. (2011). Artigo que sugere a existência da "rede de emoções compartilhadas": áreas cerebrais envolvidas, em homens, com a interpretação das emoções transmitidas pela expressão facial de suas parceiras afetivas.

seus colaboradores alemães, por exemplo, analisaram a atividade funcional do cérebro de homens por meio de ressonância magnética, solicitando-lhes que interpretassem o conteúdo emocional da face registrada em vídeo de suas parceiras mulheres. Tendo encontrado alta consistência das áreas cerebrais ativadas pelas mesmas emoções entre as mulheres emissoras e os homens receptores ("rede de emoção compartilhada"), foi possível predizer as regiões cerebrais correspondentes relacionadas a cada apresentação de uma face emocional. As apresentações das faces emocionais são comumente associadas à fala, e fazem parte da prosódia, junto com os gestos e movimentos corporais. Portanto, seria relevante estudar como as interações linguísticas entre professores e alunos (fala + prosódia) ocorrem no ambiente escolar.

Uma boa aproximação foi conseguida pelo norte-americano Greg Stephens[187] e seus colaboradores, que abordaram a comunicação verbal diretamente, e analisaram a atividade cerebral de uma pessoa que contava uma história, registrando-a em gravador, comparada com a de outro indivíduo que ouvia a história gravada. Também demonstraram que o contador da história e o ouvinte da mesma apresentavam ambos uma ativação coordenada de áreas cerebrais homólogas, compartilhando o mesmo espaço cerebral para a produção e a compreensão de mensagens linguísticas. Essa abordagem, entretanto, deixou sem resposta a importante questão de quais seriam as diferenças no processamento cerebral entre o emissor (por exemplo, o professor) e o receptor (isto é, o aluno), já que as mesmas áreas cerebrais são ativadas nos dois, de modo semelhante, durante a comunicação. Seria de esperar, no entanto, que fossem diferentes, porque toda comunicação é assimétrica: os pensamentos de quem fala não são os mesmos de quem ouve. Logo, dificilmente a atividade cerebral de ambos seria idêntica.

Um avanço a mais foi produzido recentemente pelo mesmo grupo de pesquisa alemão mencionado acima[188], que conseguiu também discernir uma coordenação entre atividades de regiões corticais, desta vez não homólogas. Além disso, os pesquisadores conseguiram encontrar similaridades nos padrões do eletroencefalograma de ouvintes que escutaram as mesmas histórias, sugerindo uma correlação entre a atividade neural e o conteúdo dessas histórias, processadas pelos cérebros dos ouvintes. Empregaram o registro de EEG de alta densidade[189] para melhorar a resolução espacial da técnica. Os autores interpretaram os diferentes padrões topográficos na ativação coordenada nos cérebros dos ouvintes como sendo relacionados ao envolvimento de áreas associadas com a recuperação de informação da memória, como sugeriram outros estudos. Baseados nessas análises pioneiras, um conjunto de regiões foi identificado que constituiria o nosso "cérebro social"[190] (**Figura 8.1**). O conceito

---

[187] G. J. Stephens e cols. (2010). Os autores tentaram analisar a sintonia de atividade neural em áreas cerebrais homólogas, entre duas pessoas conversando. O objetivo, assim, foi identificar os correlatos neurais da comunicação verbal entre pessoas.

[188] A. K. Kuhlen e cols. (2012). O objetivo aqui foi analisar a sintonia de atividade neural em áreas cerebrais heterólogas, entre duas pessoas conversando: um passo a mais levando em conta as diferenças de processamento entre o emissor e o receptor.

[189] Trata-se de um eletroencefalograma obtido com grande número de eletrodos posicionados sobre o crânio: 60 ou mais, em vez dos 19 utilizados no EEG convencional.

[190] C. D. Frith (2007). Proposição teórica do destacado neurocientista britânico Christopher Frith, um dos marcos conceituais importantes da neurociência social.

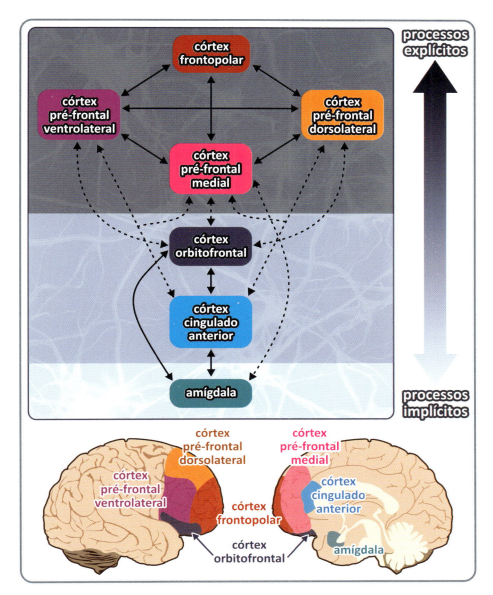

**FIGURA 8.1 |** O cérebro social. O diagrama superior mostra a inter-relação entre as regiões que são críticas para processos de cognição social mais explícitos (na parte superior do diagrama) ou mais implícitos (nas partes inferiores). As setas sólidas representam regiões envolvidas apenas em cada categoria de processo (explícitos ou implícitos), enquanto as tracejadas denotam conexões entre as categorias. A localização das regiões está mostrada nos cérebros ilustrados na parte inferior em vista lateral (à esquerda), e pelo seu plano mediano (à direita). Modificado de C. E. Forbes e J. Grafman (2010), com a permissão dos autores.

foi desenvolvido pelo grupo norte-americano de Jordan Grafman, levando em conta processos implícitos e outros explícitos de cognição social. Os primeiros são muito rápidos, quase instantâneos, e inconscientes. São exemplos o reconhecimento de faces e a manifestação de estereótipos. Os segundos são mais lentos e conscientes, envolvendo a nossa própria autoavaliação e a avaliação dos outros, bem como a interpretação dos estados mentais que fazemos de terceiros, e que orientam nosso comportamento. Por exemplo: se você tiver preconceitos de gênero, eles se revelarão em testes de processos implícitos, embora explicitamente você jure que não os tem.

Essas duas categorias do cérebro social envolvem diferentes regiões corticais e subcorticais (**Figura 8.1**), identificadas associando experimentos neuropsicológicos com as técnicas de registro da atividade neural mencionadas acima. A parte mais importante é o córtex pré-frontal e suas regiões componentes, embora outras regiões corticais posteriores, assim como regiões subcorticais, também estejam envolvidas nesses processos.

A maioria desses trabalhos prévios, no entanto, é limitada porque explora a dimensão social da natureza humana registrando o cérebro de apenas uma pessoa a cada vez. Em situações interativas da vida cotidiana, cada pessoa modifica as percepções e reações do outro em tempo real. Portanto, como já frisamos, a interação social entre pessoas e seus cérebros nem são unívocas (direcionadas de um para o outro, mas não o inverso) nem estáticas. Justo o contrário: são recíprocas e altamente dinâmicas: a informação flui bidirecionalmente entre os dois cérebros interativos, que transformam continuamente seus mecanismos funcionais e morfológicos ao longo do tempo. Portanto, para compreender os processos que requerem interações mútuas ou múltiplas entre indivíduos como a percepção social, emoções sociais, aprendizagem e cooperação, tornam-se necessários novos sistemas ou metodologias que permitam a investigação da natureza dinâmica dessas interações, além do nível de mapeamento de cérebros isolados.

A análise realística de "dois cérebros interagindo"[191] (conhecida como *hiperescaneamento*, **Figura 8.2**), no entanto, está ainda no começo, devido às complexidades tanto para desenhar protocolos experimentais bem controlados de interação social, como para realizar o processamento de sinais comparativos em tempo real dos cérebros interativos sob diferentes formas de registro operados ao mesmo tempo[192]. Essa nova abordagem mostrou-se possível, tanto usando o eletroencefalograma, como a magnetoencefalografia, ressonância magnética funcional ou espectroscopia funcional de infravermelho próximo. Com a ressonância funcional, por exemplo, o grupo de pesquisa de Jordan Grafman[193] explorou a dinâmica dos circuitos cerebrais de dois desconhecidos interagindo um com outro em um jogo de confiança recíproca sequencial, enquanto seus cérebros eram simultaneamente escaneados. Além disso, outros grupos de pesquisa têm utilizado EEG/fNIRS para mapear a circuitaria cerebral

---

[191] K. McCabe e cols. (2001); I. Konvalinka e A. Roepstorff (2012). O primeiro trabalho exemplifica uma abordagem da interação entre dois cérebros, registrando a atividade neural de apenas um deles. O segundo artigo é uma das primeiras recentes tentativas de registro simultâneo da atividade neural de dois cérebros interagindo dinamicamente.

[192] P. R. Montague e cols. (2002); L. Astolfi e cols. (2011); M. Hirata e cols. (2014); N. Osaka e cols. (2015). Exemplos da utilização de diferentes técnicas de registro simultâneo de dois cérebros interagindo.

[193] F. Krueger e cols. (2007). Interessante contribuição da técnica de hiperescaneamento, para a compreensão da confiança interpessoal.

CAPÍTULO 8 | CÉREBROS INTERATIVOS: A NEUROPLASTICIDADE TRANSPESSOAL

de dois indivíduos interagindo em diversas situações, como em um diálogo face a face, cantando ou tocando instrumentos musicais[194].

Uma maior aproximação do contexto educacional foi obtida com experimentos de interação entre indivíduos cooperando ou competindo durante jogos, com registro simultâneo de fNIRS[195]. Observou-se a sincronização da atividade neural em uma das áreas do córtex pré-frontal dorsomedial (conhecida como área 9 de Brodmann[196]), quando os dois jogadores cooperavam. Mas observou-se também a sincronia neural tanto quando cooperavam como quando competiam, neste caso envolvendo outra área do córtex frontal (área 8 de Brodmann). A conclusão é que, nas duas situações opostas, regiões diferentes do cérebro de ambos os indivíduos interagentes permaneciam "ligadas" em pares funcionais.

Ainda mais próximo das situações educacionais reais, um outro estudo[197] efetuou o registro por EEG da atividade cerebral de uma turma de 12 alunos de ensino médio participando de atividades de formato diferente, conduzidas pelo professor durante 11 dias em sequência (**Figura 8.2A**). As atividades foram: leitura de um texto, aula expositiva, vídeo e discussão em grupo (**Figura 8.2B**). Os pesquisadores puderam registrar a sincronia cerebral entre pares de alunos, entre cada um e o grupo, e do grupo como um todo. Após o experimento, os alunos avaliavam com notas os diferentes estilos pedagógicos utilizados, e os resultados eram relacionados aos padrões de atividade neural (**Figura 8.2C e D**). Como seria de esperar, os alunos preferiam assistir aos vídeos e participar das discussões em grupo, do que ouvir a leitura de um texto ou a aula expositiva. E o mesmo aconteceu com a sincronia da atividade cerebral do grupo como um todo, e de cada aluno em relação ao grupo (**Figura 8E**): maior sincronia para as atividades que suscitavam maior interesse. Parece natural concluir o óbvio: atividades participativas têm maior eficácia pedagógica do que atividades passivas, e a razão pode ser o foco atencional e o engajamento coletivo sobre um mesmo alvo ou objetivo. Mas não é tão simples assim, pois a sincronia dos pares de alunos revelou uma influência dos estilos de aprendizagem, da capacidade de focalizar a atenção, e de traços de personalidade de cada um. E os autores fizeram mais: provocaram interações diretas (face a face) e indiretas (lado a lado) dos alunos, e verificaram que as primeiras produziam maior aumento da sincronia cerebral nas atividades didáticas que ocorriam depois: uma evidência de que a empatia entre as pessoas influi decisivamente na aprendizagem.

Não apenas já é possível utilizar essas técnicas de registro da atividade cerebral em situações educacionais realistas envolvendo várias pessoas, como é possível combinar essas técnicas. Um bom exemplo é o experimento

---

[194] U. Lindenberger e cols. (2009); J. Jiang e cols. (2012); N. Osaka e cols. (2015). Exemplos de trabalhos utilizando hiperescaneamento em diferentes situações de interação neuropsicológica.

[195] N. Liu e cols. (2016). Neste trabalho, os autores utilizaram o famoso jogo Jenga, com peças de madeira a serem empilhadas formando torres instáveis que em algum momento caem.

[196] Korbininan Brodmann (1968-1918) foi um neurologista alemão que criou uma classificação numérica de 52 áreas do córtex cerebral humano, baseada em critérios morfológicos, que ainda hoje é utilizada.

[197] S. Dikker e cols. (2017). Um dos primeiros trabalhos em ambiente educacional realista, utilizando hiperescaneamento cerebral de um bom número de alunos.

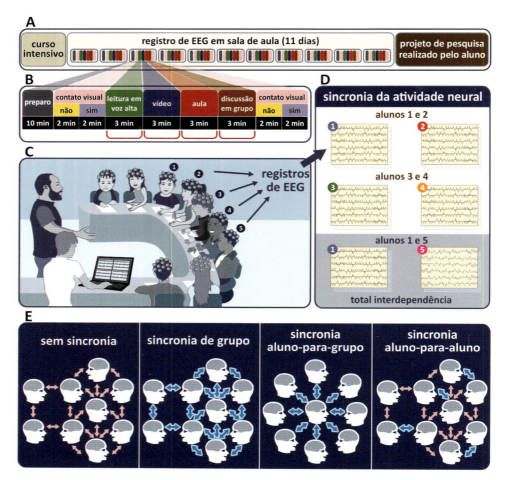

**FIGURA 8.2** | Cérebros interativos de crianças em sala de aula. **A** representa a sequência de 11 dias de experimentos. **B** mostra os protocolos de experimentos realizados em um dos dias. **C** apresenta a disposição da classe, acompanhada do registro do EEG, controlada pelo pesquisador com um computador e a investigação de sincronia entre pares de alunos sentados lado a lado (1-2 e 3-4), ou mais distantes (1-5) (**D**). **E** ilustra os tipos de sincronia investigados. As setas denotam sincronia (em azul) ou ausência dela (em rosa). Ilustração baseada no trabalho de S. Dikker e cols. (2017), com a permissão dos autores.

realizado por meus colegas Guilherme Brockington, físico, e João Ricardo Sato, estatístico, ambos professores da Universidade Federal do ABC em São Paulo, junto com outros colaboradores[198]. O grupo utilizou fNIRS isoladamente ou junto com rastreamento ocular e pupilometria, em crianças e professoras participando de atividades escolares ativas como aprender a somar por meio de um jogo (**Figura 8.3A**), e passivas como assistir a uma aula expositiva. No primeiro caso, foi possível verificar quando, durante o jogo, as duas atividades cerebrais (da criança e da professora) entravam em sincronia (**Figura 8.3C**),

---

[198] G. Brockington e cols. (2018). Prova de conceito do uso múltiplo de técnicas de registro cerebral em protocolos de neurociência educacional.

# CAPÍTULO 8 | CÉREBROS INTERATIVOS: A NEUROPLASTICIDADE TRANSPESSOAL

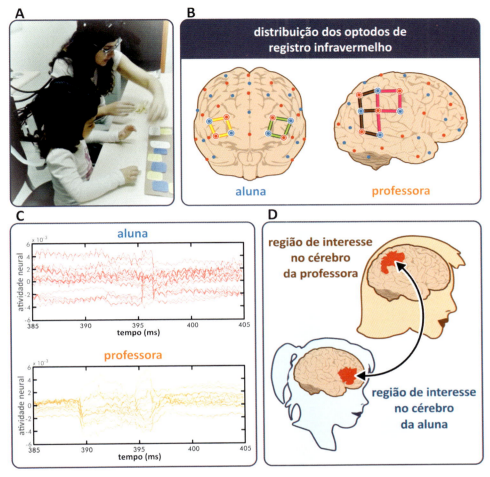

**FIGURA 8.3 |** Hiperescaneamento da interação entre uma professora e uma criança, durante uma atividade visando o ensino de operações aritméticas simples por meio de um jogo. A mostra a aluna e a professora durante o experimento. Ambas usam uma touca com optodos[199] para registro da atividade das áreas cerebrais. B apresenta a posição dos optodos. C representa o registro da atividade neural mediante a medida dinâmica de absorção de infravermelho pela hemoglobina nos vasos sanguíneos corticais, maior quanto maior a atividade neural. Repare que há sincronia de atividade entre os dois cérebros, na altura de 395 milissegundos do traçado. D mostra as regiões de interesse em sincronia: o córtex pré-frontal da aluna e o córtex parietal da professora. Modificado de G. Brockington e cols. (2018).

e em quais áreas corticais isso se dava (**Figura 8.3D**). Além disso, foi possível identificar os momentos em que áreas corticais diferentes eram ativadas na criança e na professora.

No segundo caso, o grupo pôde utilizar o rastreamento ocular e a pupilometria para identificar o foco atencional e o grau de atenção que a criança

---

[199] Optodos são dispositivos de emissão e registro de radiação infravermelha (calor) utilizados na técnica de fNIRS, análogos aos eletrodos usados no EEG, com capacidade de detectar variações na absorção cerebral em função da atividade neural subjacente.

prestava ao que a professora fazia, falando e escrevendo na lousa. O rastreamento ocular[200] indica qual ponto do campo visual está sendo focalizado pelo olhar, e a pupilometria[201] mede o diâmetro pupilar, indicador do grau de atenção e interesse (maior o interesse, maior o diâmetro da pupila). Os resultados mostraram que a criança deslocava o seu olhar (ou seja, o seu foco atencional) para a lousa e para a face da professora, intercaladamente. Isso significa que não é apenas o que está sendo escrito na lousa (o conteúdo) que importa ao aluno, mas também a riqueza afetiva da transmissão do conteúdo, veiculada pela expressão facial da professora.

Em conjunto, todos esses estudos revelaram um padrão interessante de sincronização entre cérebros (especialmente relacionado ao engajamento dos circuitos do lobo frontal), mostrando o promissor potencial das técnicas de hiperescaneamento para compreender os mecanismos de neuroplasticidade no compartilhamento e troca de informação entre cérebros/pessoas[202]. A sincronia de ativação cerebral em diversas pessoas é considerada uma indicação de atenção compartilhada e, portanto, um marcador neural de interações sociais dinâmicas.

Até o momento, embora explorado nos contextos social e emocional, esse tipo de desenho experimental tem sido menos empregado em interações educacionais. É possível que, quando você estiver lendo este livro, os desenvolvimentos tecnológicos já tornem possível registrar a atividade de múltiplos cérebros simultaneamente, em ambientes realísticos, como fez pioneiramente o grupo de São Paulo mencionado acima. É provável que, nesse caso, os experimentos sejam estendidos à sala de aula e outros contextos educacionais, permitindo aferir quais intervenções do professor, ou quais atividades coletivas dos alunos, mostram-se mais eficazes para capturar a atenção destes, motivá-los mais, e assim propiciar uma aprendizagem mais eficaz.

---

[200] L. Popa e cols. (2015). Revisão sobre o uso do rastreamento ocular nas neurociências de um modo geral.

[201] B. Laeng e cols. (2012) Revisão sobre o uso da pupilometria em psicologia, incluindo as suas bases neurobiológicas.

[202] T. Liu e M. Pelowski (2014). Revisão interessante sobre as limitações da neurociência das interações interpessoais.

# Conclusão: Pontes em Construção

A conclusão é uma volta ao início: um chamamento à convergência das abordagens científicas da educação, contra os territorialismos das diferentes disciplinas. Você verá a seguir alguns exemplos de possibilidades educacionais que a convergência das disciplinas permite para o aprimoramento do ensino e a otimização da aprendizagem. A educação lucrará com o aproveitamento das descobertas da ciência translacional, sem limites e sem fronteiras.

CAPÍTULO 9 | CONCLUSÃO: PONTES EM CONSTRUÇÃO

Tudo o que pude relatar neste livro não consegue cobrir o gigantesco número de contribuições nos vários níveis da neuroplasticidade, que podem ter impacto nas práticas educacionais. O objetivo, no entanto, foi chamar atenção para a importância de explorar este tipo de pesquisa translacional. Como vimos no início, o norte-americano Donald Stokes[203] propôs uma nova abordagem para a pesquisa translacional dirigida à Saúde, pela qual se daria ênfase à pesquisa inspirada pela sua utilização social – o quadrante de Pasteur –, na convicção de que ela poderia melhor conectar a pesquisa básica com suas aplicações práticas à Saúde e às doenças. Proponho aqui que uma abordagem similar pode ser direcionada à Educação, e neste caso, a neurociência, e particularmente a neuroplasticidade, desempenhariam um papel crucial.

Os benefícios práticos da neurociência aplicada à educação constituem ainda um tema quente de discussão entre neurocientistas e psicólogos (veja-se o polêmico ensaio do psicólogo Jeffrey Bowers[204], como exemplo recente). De um lado, os neurocientistas defendem que o conhecimento sobre o cérebro durante a aprendizagem pode inspirar sugestões que acelerem a alfabetização, a velocidade de leitura, habilidades cognitivas como a atenção, a resolução de problemas e outros. No outro polo, os psicólogos argumentam que "a ponte é muito longa", e que a psicologia cognitiva deve mediar relações entre as evidências da neurociência e a prática nas escolas[205]. Em meu ponto de vista, essa abordagem "territorial" é inútil neste caso. Pode soar como um debate acadêmico interessante, mas não ajuda a estreitar o espaço e construir a ponte entre os dois polos. Na verdade, um esforço para o intercâmbio de competências, discussões comuns e algumas aplicações experimentais poderiam contribuir para acelerar a criação de novas metodologias e o aprimoramento das políticas educacionais em países desenvolvidos e em desenvolvimento. Além disso, poderiam ter maior impacto nestes últimos, que precisam explorar todas as possibilidades com a maior velocidade possível para alcançar níveis educacionais aceitáveis da população. A mesma lógica é válida para as crianças com transtornos de aprendizagem: precisam de soluções testáveis, o mais rapidamente possível.

A inutilidade dessa polêmica "territorial" pode ser ilustrada com o exemplo da pesquisa translacional em Saúde, que há muito superou essa discussão. É como se os farmacologistas que pesquisam a ação molecular das substâncias sobre o nosso organismo, polemizassem com os epidemiologistas que investigam se um determinado fármaco é eficaz para uma doença da população, ou se tem efeito apenas em uma porcentagem pequena das pessoas. A pesquisa inspirada pela utilidade social abre espaço para as diferentes abordagens, somando-as na obtenção dos melhores resultados.

---

[203] D. Stokes (1997). Livro já mencionado, descrevendo uma concepção 2D da pesquisa translacional.

[204] J. S. Bowers (2016).

[205] M. Sigman e cols. (2014); J. Bruer (1997). Mariano Sigman e seu grupo defendem a importância da neurociência como abordagem das questões educacionais, opondo-se à opinião de John Bruer, que acredita que para os dados da neurociência chegarem à prática escolar, devem ser mediados pela psicologia cognitiva. Foi nesse contexto "territorialista" que se posicionou Jeffrey Bowers, tomando partido de Bruer.

**116** **CAPÍTULO 9** | CONCLUSÃO: PONTES EM CONSTRUÇÃO

De todo modo, alguns exemplos bem-sucedidos de potencial utilização prática em educação podem ser já identificados, como sugestões baseadas em evidências que começam a amadurecer[206]. No âmbito da neurociência, o efeito do exercício físico é um desses exemplos. Já se mostrou que ele aumenta a neurogênese no hipocampo de camundongos e humanos, beneficiando a cognição[207], e mesmo que esse efeito pode ser transmitido à prole adulta quando suas mães praticam exercício durante a gravidez[208]. A implementação de exercícios aeróbicos nas escolas, portanto, que poderia ser considerada apenas uma questão de Saúde, e não de Educação, prova-se na verdade uma ferramenta adicional para incrementar a capacidade de aprendizagem das crianças.

Outro exemplo é o efeito do sono na plasticidade hipocampal e na consolidação da memória. Muitos experimentos com animais e humanos têm documentado o aumento da plasticidade e melhor consolidação da memória[209]. Além disso, o desempenho humano em diferentes tarefas cognitivas é melhor após o sono[210], assim como as competências socioemocionais como a inspiração e a criatividade[211]. Portanto, parece bem consistente sugerir aos educadores que implementem uma soneca (cochilo) durante o dia na escola, como esforço para impulsionar a aprendizagem. Em ambos esses exemplos, a avaliação da eficácia do exercício e do sono na escola tem que ser objeto dos psicólogos e dos professores, e testados em escala nas redes escolares após esses testes.

Da associação da neurociência com a psicologia cognitiva – e não de sua oposição – podem vir sugestões muito úteis aos professores e, é claro, aos alunos. Um artigo recente de um grupo de autores da Universidade de Massachusetts, nos Estados Unidos, sugere 6 princípios-chaves baseados em evidências científicas, que poderiam ser adotados pelos professores em sala de aula[212]: (1) aprendizagem distribuída; (2) intercalagem; (3) relembrança; (4) elaboração; (5) exemplos concretos; e (6) dupla codificação. Em que consiste cada um desses princípios?

A *aprendizagem distribuída* significa o estudo repetido da mesma informação várias vezes ao longo do tempo, e não de modo concentrado em um único momento[213]. A retenção é maior e mais duradoura no primeiro caso, do que quando o estudo do mesmo conteúdo é realizado no mesmo número de vezes e durante o mesmo tempo total, mas de uma vez só. Se o professor evoca a

---

[206] H. L. Roediger (2013)

[207] H. Van Praag (1999); A. C. Pereira e cols. (2007); K. I. Erickson e cols. (2011). Estes artigos estudam direta ou indiretamente o efeito do exercício físico aeróbico sobre a neurogênese no hipocampo de camundongos e de sujeitos humanos.

[208] S. Gomes da Silva e cols. (2017). Trabalho interessante de um grupo da UNIFESP mostrando o efeito do exercício físico das fêmeas grávidas sobre a capacidade de aprendizagem dos seus filhotes.

[209] S. Diekelman e J. Born (2010); S. T. Ribeiro (2012); Louzada e Ribeiro (2017). Três revisões sobre o papel do sono na aprendizagem.

[210] E. J. Wamsley e cols. (2010); F. Beijamini e cols. (2014). Indicação para o valor de uma soneca após o almoço para facilitar a aprendizagem.

[211] U. Wagner e cols. (2010); S. M. Ritter e cols. (2012).

[212] Y. Weinstein e cols. (2018). Trata-se de uma "revisão tutorial", dirigida a professores com o objetivo de subsidiar aplicações em sala de aula provenientes da ciência da aprendizagem.

[213] S. H. Kang (2016). Evidências de que a aprendizagem espaçada é vantajosa.

mesma informação em dias diferentes, o aluno tende a compreender e a aprender melhor do que se toda a "matéria" for concentrada em uma única aula. A razão é simples: lembrar um conteúdo após um certo tempo reforça a sua retenção na memória, tanto mais quanto mais vezes isso ocorre, em intervalos que podem chegar a 1 mês! A "virada" de véspera só serve para passar na prova, mas não necessariamente para aprender. A explicação reside na ativação e reativação dos mesmos circuitos e redes neurais plásticos, resultando no seu fortalecimento funcional.

Entende-se por *intercalagem*[214] a apresentação de ideias ou problemas diferentes em sequência para o aluno resolver, em vez da insistência na mesma ideia ou problema apresentados várias vezes. A justificativa baseia-se na aprendizagem de resolução de problemas como competência socioemocional, em vez da aprendizagem do método em si para resolver cada problema. O aluno aprende a resolver problemas, busca a solução de cada problema ou a compreensão de cada conceito que se apresente, em vez de "decorar" a solução de cada um. Por exemplo, visitar uma exposição de arte com pinturas de vários estilos pode ser mais eficaz para aprender as características de cada estilo, do que analisar cada estilo separadamente. Isso porque a comparação estimula a busca de semelhanças e diferenças[215], ativando não apenas a "corrente ventral" do sistema visual (córtex occipitotemporal), mas também as redes de correlação entre eventos e características, nas regiões frontais do córtex cerebral.

A *relembrança* consiste em trazer à mente uma informação previamente aprendida, o que produz um favorecimento da consolidação da memória[216]. Tem sido muito estudada em diversas espécies de animais, e também em humanos, e assemelha-se ao que se chama nesses experimentos de reconsolidação da memória, uma oportunidade para atualizá-la e fortalecê-la nos circuitos correspondentes[217]. A relembrança é uma virtude das provas e testes, tão debatidos atualmente como meios adequados de avaliação. As provas são, no entanto, uma oportunidade para trazer à memória de trabalho (córtex pré-frontal) uma informação que reside na memória explícita (córtex temporal), o que resulta no seu fortalecimento (reconsolidação) por ocasião do "retorno" ao córtex temporal. E a prática da relembrança nem precisa ser na forma de provas: uma simples atividade de classe pode consistir em solicitar aos alunos que escrevam tudo que sabem sobre um determinado tópico. Sem a tensão de uma avaliação.

O conceito descrito pelo termo *elaboração*, em neurociência cognitiva, significa a capacidade de adicionar informações novas a um léxicon[218] esta-

---

[214] Tradução livre do termo em inglês *interleaving*.

[215] M. S. Birnbaum e cols. (2013). Estudo sobre o papel da intercalagem na estimulação da aprendizagem indutiva.

[216] M. A. Smith e cols. (2013). Trabalho que mostra benefícios à aprendizagem de diferentes formas de relembrança.

[217] I. Izquierdo e cols. (2016). Ivan Izquierdo e seu grupo, no Rio Grande do Sul, têm sido líderes no estudo das bases celulares e moleculares desse fenômeno, utilizando para isso, principalmente, paradigmas de memória de medo em animais.

[218] Léxicon é um termo utilizado no sentido de "dicionário mental", para significar o armazenamento na memória de unidades (objetos, conceitos, fatos) de acordo com categorias agregadoras. Por exemplo, roupas, animais domésticos, animais selvagens, faces de pessoas conhecidas etc. Há evidências de que isso ocorre nas regiões inferotemporais do córtex cerebral, à direita de modo holístico, à esquerda de modo analítico.

**118** CAPÍTULO 9 | CONCLUSÃO: PONTES EM CONSTRUÇÃO

belecido na memória. Por exemplo, a criança armazena gradualmente, nas regiões inferotemporais do córtex cerebral, léxicons das diferentes categorias de objetos a que é exposta cotidianamente: faces, ferramentas, animais, e tantos outros. Quando é exposta a um novo objeto (digamos, uma chave de parafuso), intuitivamente ela o classifica e adiciona ao léxicon de ferramentas na região temporal correspondente. Aprende, então, não apenas o termo que descreve o novo objeto, mas sua categoria, sua utilidade, sua forma e tudo mais. Isso é o que se chama elaboração, no contexto que estamos discutindo.

O benefício educacional dos *exemplos concretos* é reconhecido até intuitivamente. Mas há evidências científicas[219] de que de fato ajudam a aprendizagem, principalmente de conceitos mais abstratos. A ideia pedagógica é associar os exemplos concretos com os conceitos abstratos: imagine como isso é importante no ensino da matemática, uma disciplina com forte conteúdo abstrato.

Finalmente, a *dupla codificação*. O termo se refere à utilização de figuras para significar conceitos. "Uma figura vale mil palavras" é um dito popular que já tem um século[220]. A dupla codificação significa que a informação entra no sistema nervoso de duas (ou mais) maneiras que se reforçam e reforçam a aprendizagem. É o caso da visão figurativa, junto com a leitura textual. Ou, no caso da música, a audição de trechos musicais junto com a visão da partitura correspondente. Muitas vezes, as figuras adicionam aspectos emocionais que também, reconhecidamente, fortalecem a memória[221]. Quando se propõe ao aprendiz representar graficamente por meio de desenhos o modo como compreende o conceito abstrato que está aprendendo, o efeito positivo é ainda maior[222].

**Em resumo,** abordei neste livro os vários níveis da neuroplasticidade, das moléculas às interações sociais, para ilustrar quão mutável é o *cérebro aprendiz* em contato com o ambiente, que é também muito amplo e diverso, desde o contexto natural até a educação socialmente estruturada nas escolas. Esses diferentes níveis coexistem e, como sugeriu Steven Rose[223], têm que ser abordados com diferentes graus de reducionismo, mas conectados sempre que possível para alcançar uma percepção holística de todos os fenômenos envolvidos. Pretendi aqui enfatizar, portanto, que não apenas os neurônios e os circuitos são mutáveis, mas também as áreas cerebrais, e os cérebros interativos. Pela compreensão desses níveis de representação, específicos mas conectados, os educadores poderão estar melhor preparados para propor, implementar, testar e mapear mudanças nos processos e metodologias educacionais, como nos exemplos brevemente descritos anteriormente.

---

[219] Um bom exemplo é o trabalho de J. B. Caplan e C. R. Madan (2016), que mostra aumento da atividade funcional do hipocampo com a associação de imagens a palavras.

[220] Esse dito popular foi identificado por W. Meider (1990), e continua a ser usado até hoje.

[221] S. T. Kousta e cols. (2011). Revisão sobre a influência das emoções na representação de conceitos abstratos.

[222] J. D. Wammes e cols. (2016). O efeito positivo da ação motora de representar graficamente conceitos abstratos, durante a aprendizagem.

[223] S. Rose (1969). Livro já citado, que aborda os vários níveis de existência e investigação dos fenômenos naturais.

# Referências
# Bibliográficas

Aboitiz F, Scheibel AB, Fisher RS, Zaidel E. Fiber composition of the human corpus callosum. Brain Research 1992; 598:143-153.

Aimone JB, Li Y, Lee SW, Clemenson GD, Deng W, Gage FH. Regulation and function of adult neurogenesis: from genes to cognition. Physiological Reviews 2014; 94:991-1026.

Alberini CM. Transcription factors in long-term memory and synaptic plasticity. Physiological Reviews 2009; 89:121-145.

Amalric M, Dehaene S. Origins of the brain networks for advanced mathematics in expert mathematicians. Proceedings of the National Academy of Sciences USA 2016; 113:4909-4917.

Anders S, Heinzle J, Weiskopf N, Ethover T, Haynes JD. Flow of affective information between communicating brains. Neuroimage 2011; 54:439-446.

Astolfi L, Toppi J, Fallani FV, Vecchiato G, Cincotti F, Wilke CT, Yuan H, Mattia D, Salinari S, He B, Babiloni F. Imaging the social brain by simultaneous hyperscanning during subject interaction. IEEE Intelligence Systems 2011; 26:38-45.

Auyeung B, Lombardo MV, Baron-Cohen S. Prenatal and postnatal hormone effects on the human brain and cognition. European Journal of Physiology 2013; 465:557-571.

Azevedo FAC, Carvalho LRB, Grinberg LT, Farfel JM, Ferretti REL, Leite REP, Jacob Filho W, Lent R, Herculano-Houzel S. Equal numbers of neuronal and nonneuronal cells make the human brain na isometrically scaled-up primate brain. Journal of Comparative Neurology 2009; 513:532-541.

Bado P, Engel A, de Oliveira Souza R, Bramati IE, Paiva FF, Basilio R, Sato JR, Tovar-Moll F, Moll J. Functional dissociation of ventral frontal and dorsomedial default mode network components during resting state and emotional autobiographical recall. Human Brain Mapping 2014; 35:3302-3313.

Bahia CP, Vianna-Barbosa RJ, Tovar-Moll F, Lent R. Terminal arbor changes of single callosal axons in cerebral cortex of early-amputated rats. Cerebral Cortex, 2018; publicação eletrônica prévia: doi: 10.1093/cercor/bhy043.

Bandeira F, Lent R, Herculano-Houzel S. Changing numbers of neuronal and non-neuronal cells underlie postnatal brain growth in the rat. Proceedings of the National Academy of Sciences USA 2009; 106:14110-14113.

Bailey CH, Kandel ER. Synaptic remodeling, synaptic growth and the storage of long-term memory in Aplysia. Progress in Brain Research 2008; 169:179-198.

Begemann I, Galic M. Correlative light electron microscopy: Connecting synaptic structure and function. Frontiers in Synaptic Neuroscience 2016; 8:28.

Beijamini F, Pereira SIR, Cini FA, Louzada FM. After being challenged by a video game problem, sleep increases the chance to solve it. PLoS ONE 2014; 9(1):e84342.

Bernardinelli Y, Nikonenko I, Muller D. Structural plasticity: mechanisms and contribution to developmental psychiatric disorders. Frontiers in Neuroanatomy 2014a; 8:123.

Bernardinelli Y, Randall J, Janett E, Nikonenko I, Konig S, Jones EV, Flores CE, Murai KK, Bochet CG, Holtmaat A, Muller D. Activity-dependent structural plasticity of perisynaptic astrocytic domains promotes excitatory synapse stability. Current Biology 2014b; 24:1679-1688.

Bhardwaj RD, Curtis MA, Spalding KL, Buchholz BA, Fink D, Björk-Eriksson T, Nordborg C, Gage FH, Druir H, Eriksson PS, Frisén J. Neocortical neurogenesis in humans is restricted to development. Proceedings of the National Academy of Sciences USA 2006; 103:12564-12568.

Birnbaum MS, Kornell N, Bjork EL, Bjork RA. Why interleaving enhances inductive learning: the roles of discrimination and retrieval. Memory & Cognition 2013; 41:391-402.

Blanco IF, Carvalho APL. Máquinas que aprendem: o que nos ensinam? Em: Ciência para Educação: Uma Ponte entre Dois Mundos. Lent R, Buchweitz A, Mota MB, orgs. Rio de Janeiro: Editora Atheneu 2017; 271 pp.

Bliss TV, Lomo T. Long-lasting potentiation of synaptic transmission in the dentate gyrus of the anesthetized rabbit following stimulation of the perforant path. Journal of Physiology 1973; 232:331-356.

Boldrini M, Fulmore CA, Tartt AN, Simeon LR, Pavlova I, Poposka V, Rosoklija GB, Stankov A, Arango V, Dwork AJ, Hen R, Mann JJ. Human hippocampal neurogenesis persists throughout aging. Cell Stem Cell 2018; 22:589-599.

Bolger DJ, Perfetti CA, Schneider W. Cross-cultural effect on the brain revisited: universal structures plus writing system variation. Human Brain Mapping 2005; 25:92-104.

Bonin RP, De Koninck Y. Reconsolidation and the regulation of plasticity: moving beyond memory. Trends in Neurosciences 2015; 38:336-344.

Böttger J, Schäfer A, Lohmann G, Villringer A, Margulies DS. Three-dimensional mean-shift edge bundling for the visualization of functional connectivity in the brain. IEEE Transactions on Visualization and Computer Graphics 2014; 20:471-480.

Bourne JN, Harris KM. Do thin spines learn to be mushroom spines that remember? Current Opinion in Neurobiology 2007; 17:381-388.

Bowers JS. The practical and principled problems with educational neuroscience. Psychological Review 2016; 123:600-612.

Bramati I, Rodrigues EC, Simões EL, Moll J, Lent R, Tovar-Moll F. Lower limb amputees undergo long-distance plasticity in sensorimotor functional connectivity. NeuroImage; submetido a publicação, 2018.

Broca PP. Remarques sur le siege de la faculté du langage articulé suivie d'une observation d'aphémie. Bulletin de la Societé Anatomique de Paris 1861; 6:330-357.

Brockington G, Balardin JB, Morais GAZ, Malheiros A. Lent R, Moura LM, Sato JR. From the laboratory towards the classroom: the potential of fNIRS and physiological multirecordings in educational neuroscience; Frontiers in Psychology 9:1840; 2018.

Bruer JT. Education and the brain: a bridge too far. Education Research 1997; 26:4-16.

Buchweitz A, Mota MB, Name C. Linguagem: das primeiras palavras à aprendizagem da leitura. Em: Ciência para Educação: Uma Ponte entre Dois Mundos. Lent R, Mota M, Buchweitz A, orgs. Cap. 5. Rio de Janeiro: Editora Atheneu 2017; 119-132.

Bush V. Science, the Endless Frontier. Reproduzido na íntegra na Revista Brasileira de Inovação 2014; 13:241-280.

Byrnes JP, Fox NA. The educational relevance of research in cognitive neuroscience. Educational Psychology Review 1998; 10:297-342.

Caplan JB, Madan CR. Word-imageability enhances association-memory by recruiting hippocampal activity. Journal of Cognitive Neuroscience 2016; 28:1522-1538.

Cesana-Arlotti N, Martín A, Téglás E, Vorobyova L, Cetnarski R, Bonatti LL. Precursors of logical reasoning in preverbal human infants. Science 2018; 359:1263-1266.

Chang Y. Reorganization and plastic changes of the human brain associated with skill learning and expertise. Frontiers in Human Neuroscience 2014; 8:35.

Chédotal A, Richards LJ. Wiring the brain: the biology of neuronal guidance. Cold Spring Harbor Perspectives in Biology 2010; 2:a001917.

Chen R, Cohen LG, Hallett M. Nervous system reorganization following injury. Neuroscience 2002; 111:761-773.

Clowry G, Molnár Z, Rakic P. Renewed focus on the developing human neocortex. Journal of Anatomy 2010; 217:276-288.

Collingridge GL, Peineau S, Howland JG, Wang YT. Long-term depression in the CNS. Nature Reviews. Neuroscience 2010; 11:459-473.

Combs CA, Shroff H. Fluorescence microscopy: A concise guide to current imaging methods. Current Protocols in Neuroscience 2017; 79:2.1.1-2.1.25.

Connor SA, Wang YT. A place at the table: LTD as a mediator of memory genesis. Neuroscientist 2015; 22:359-371.

Crone EA, Elzinga BM. Changing brains: how longitudinal functional magnetic resonance imaging studies can inform us about cognitive and social-affective growth trajectories. Wiley Interdisciplinary Reviews in Cognitive Sciences 2015; 6:53-63.

Cross ES, Kraemer DJ, Hamilton AF, Kelley WM, Grafton ST. Sensitivity of the action observation network to physical and observational learning. Cerebral Cortex 2009; 19:315-326.

Cusak R, Ball G, Smyser CD, Dehaene-Lambertz G. A neural window on the emergence of cognition. Annals of the New York Academy of Sciences 2016; 1369:7-23.

Da Costa NM, Martin KA. Sparse recognition of brain circuits: or, how to survive without a microscopic connectome. Neuroimage 2013; 80:27-36.

Dalmau J. NMDA receptor encephalitis and other antibody-mediated disorders of the synapse. Neurology 2016; 87:2471-2482.

DeCasper AJ, Spence MJ. Prenatal maternal speech influences newborn's perception of speech sounds. Infant Behavior and Development 1986; 9:133-150.

Dehaene S. Inside the letterbox: How literacy transforms the human brain. Cerebrum 2013; 7. http://www.dana.org/news/cerebrum/detail.aspx?id=43644.

Dehaene S, Cohen L. Cultural recycling of cortical maps. Neuron 2007; 56:384-398.

Dehaene S, Pegado F, Braga LW, Ventura P, Nunes Filho G, Jobert A, Dehaene-Lambertz G, Kolinsky R, Morais J, Cohen L. How learning to read changes the cortical networks for vision and language. Science 2010; 330:1359-1364.

Dehaene-Lambertz G, Hertz-Pannier L, Dubois J. Nature and nurture in language acquisition: anatomical and functional brain-imaging studies in infants. Trends in Neurosciences 2006; 29:367-373.

Diekelmann S, Born J. The memory function of sleep. Nature Reviews. Neuroscience 2010; 11:114-126.

Dikker S, Wan Lu, Davidesco I, Kaggen L, Oostrik M, McClintock J, Rowland J, Michalareas G, Van Bavel JJ, Ding M, Poeppel D. Brain-to-brain synchrony tracks real-world dynamic group interactions in the classroom. Current Biology 2017; 27:1375-1380.

Diniz LP, Matias ICP, Garcia MN, Gomes FCA. Astrocytic control of neural circuit formation: Highlights on TGF-beta signaling. Neurochemistry International 2014; 78:18-27.

Dorneles BV, Haase VG. Aprendizagem numérica em diálogo: Neurociências e Educação. Em: Ciência para Educação: Uma Ponte entre Dois Mundos. Lent R, Mota M, Buchweitz A, orgs. Cap. 6, Rio de Janeiro: Editora Atheneu; 2017.

Douglas RJ, Martin KAC, Whitteridge D. A canonical microcircuit for neocortex. Neuronal Computation 1989; 1:480-488.

Douglas RJ, Martin KAC. Neuronal circuits of the neocortex. Annual Reviews of Neuroscience 2004; 27:419-451.

Draganski B, Gaser C, Busch V, Schuierer G, Bogdahn U, May A. Neuroplasticity: changes in grey matter induced by training. Nature 2004; 427:311-312.

Elmer S, Hänggi J, Jäncke L. Interhemispheric transcallosal connectivity between the left and right planum temporale predicts musicianship, performance in temporal speech processing, and functional specialization. Brain Structure and Function 2016; 221:331-344.

Engert F, Bonhoeffer T. Dendritic spine changes associated with hippocampal long-term synaptic plasticity. Nature 1999; 399:66-70.

Erickson KI, Voss MW, Prakash RS, Basak C, Szabo A, Chaddock L, Kim JS, Heo S, Alves H, White SM, Wojcicki TR, Mailey E, Vieira VJ, Martin SA, Pence BD, Woods JA, McAuley E, Kramer AF. Exercise training increases size of hippocampus and improves memory. Proceedings of the National Academy of Sciences of the USA 2011; 108:3017-3022.

Fenlon LR, Richards LJ. Contralateral targeting of the corpus callosum in normal and pathological brain function. Trends in Neurosciences 2015; 38:264-272.

Fernandez-Duque D, Evans J, Christian C, Hodges SD. Superfluous neuroscience information makes explanations of psychological phenomena more appealing. Journal of Cognitive Neuroscience 2015; 27:926-944.

Fields RD, Araque A, Johansen-Berg H, Lim S-S, Lynch G, Nave K-A, Nedergaard M, Perez R, Sejnowski T, Wake H. Glial biology in learning and cognition. Neuroscientist 2014; 20:426-431.

Fifer WP, Moon CM. The role of mother's voice in the organization of brain function in the newborn. Acta Paediatrica 1994; 83(suppl.):86-93.

Forbes CE, Grafman J. The role of the human prefrontal cortex in social cognition and moral judgment. Annual Review of Neuroscience 2010; 33:299-324.

Fox KC, Spreng RN, Ellamil M, Andrews-Hanna JR, Christoff K. The wandering brain: meta-analysis of functional neuroimaging studies of mind-wandering and related spontaneous thought processes. Neuroimage 2015; 111:611-621.

Freire P. Pedagogia do oprimido (63 ed., 2017). Paz e Terra 1967; 253 pp.

Freud S. A Interpretação dos Sonhos (trad. R. Zwick). LP&M Editores 2013; 736 pp.

Frey U, Morris RG. Synaptic tagging and long-term potentiation. Nature 1997; 385:533-536.

Friston KJ, Frith CD. Active inference, communication and hermeneutics. Cortex 2015; 68:129-143.

Frith CD. The social brain? Philosophical Transactions of the Royal Society of London Biological Sciences 2007; 362:671-678.

Froes MM, Menezes JRL. Coupled heterocellular arrays in the brain. Neurochemistry International 2002; 41:367-375.

Fyhn M, Molden S, Witter MP, Moser EI, Moser M-B. Spatial representation in the entorhinal cortex. Science 2004; 305:1258-1264.

Garcez PP, Henrique NP, Furtado DA, Bolz J, Lent R, Uziel D. Axons of callosal neurons bifurcate transiently at the white matter before consolidating an interhemispheric projection. European Journal of Neuroscience 2007; 25:1384-1394.

Garcez PP, Loiola EC, Madeiro da Costa R, Higa LM, Trindade P, Delvecchio R, Nascimento JM, Brindeiro R, Tanuri A, Rehen SK. Zika vírus impairs growth of neurospheres and brain organoids. Science 2016; 352:816-818.

Garcia RR, Zamorano F, Aboitiz F. From imitation to meaning: circuit plasticity and the acquisition of a conventionalized semantics. Frontiers in Human Neuroscience 2014; 8:1.

Gardner H. Inteligências Múltiplas, a Teoria na Prática. Trad. Maria A.V. Veronese. Porto Alegre: Editora Artmed; 2000.

Gazzaniga MS. Forty-five years of split-brain research and still going strong. Nature Reviews. Neuroscience 2005; 6:653-659.

Gibbons A, Dean B. The cholinergic system: an emerging drug target for schizophrenia. Current Pharmaceutical Design 2016; 22:2124-2133.

Giedd JN, Raznahan A, Alexander-Bloch A, Schmitt E, Gogtay N, Rapoport JL. Child psychiatry branch of the National Institute of Mental Health longitudinal structural magnetic resonance imaging study of human brain development. Neuropsychopharmacology 2015; 40:43-49.

Giese KP, Mizuno K. The roles of protein kinases in learning and memory. Learning and Memory 2013; 20:540-552.

Gilmore AW, Nelson SM, McDermott KB. A parietal memory network revealed by multiple MRI methods. Trends in Cognitive Sciences 2015; 19:534-543.

Gomes da Silva S, Almeida AA, Fernandes J, Lopim GM, Cabral FR, Scerni DA, Oliveira-Pinto AV, Lent R, Arida RM. Maternal exercise during pregnancy increases BDNF levels and cell numbers in the hippocampal formation but not in the cerebral cortex of adult rat offspring. PLoS ONE 2016; 11(1):30147200.

Greicius MD, Kiviniemi V, Tervonen O, Vainionpää Alahuhta S, Reiss AL, Menon V. Persistent defauld-mode network connectivity during light sedation. Human Brain Mapping 2008; 29:839-847.

Hagmann P, Cammoun L, Gigandet X, Meuli R, Honey CJ, Wedeen VJ, Sporns O. Mapping the structural core of human cerebral cortex. PLoS Biology 2008; 6(7):e159.

Hagoort P. Nodes and networks in the neural architecture for language: Broca's region and beyond. Current Opinion in Neurobiology 2014; 28:136-141.

Hartley T, Lever C, Burgess N, O'Keefe J. Space in the brain: how the hippocampal formation supports spatial cognition. Philosophical Transactions of the Royal Society London, Series B Biological Sciences 2013; 369:20120510.

Hebb D. The Organization of Behavior. New York: Wiley; 1949.

Herculano-Houzel S, Collins CE, Wong P, Kaas JH, Lent R. The basic nonuniformity of the cerebral cortex. Proceedings of the National Academy of Sciences of the USA 2008; 105:12593-12598.

Herdener M, Esposito F, di Salle F, Boller C, Hilti CC, Habermeyer B, Scheffler K, Wetzel S, Seifritz E, Cattapan-Ludewig K. Musical training induces functional plasticity in human hippocampus. Journal of Neuroscience 2010; 30:1377-1384.

Hirata M, Ikeda T, Kikuchi M, Kimura T, Hiraishi H, Yoshimura Y, Asada M. Hyperscanning MEG for understanding mother-child cerebral interactions. Frontiers in Human Neuroscience 2014; 8:118.

Hobert O. Behavioral plasticity in C. elegans: paradigms, circuits, genes. Journal of Neurobiology 2003; 54:203-223.

Holtmaat A, Caroni P. Functional and structural underpinnings of neuronal assembly formation in learning. Nature Neuroscience 2016; 19:1553-1562.

Hopkins EJ, Weisberg DS, Taylor JCV. The seductive allure is a reductive allure: People prefer scientific explanations that contain logically irrelevant reductive information. Cognition 2016; 155:67-76.

Horowitz-Kraus T, Hutton JS. From emergent literacy to reading: how learning to read changes a child's brain. Acta Paediatrica 2013; 104:648-656.

Horvath JC, Donoghue GM. A Bridge Too Far – revisited: Reframing Bruer's neuroeducation arguments for modern Science of Learning practitioners. Frontiers in Psychology 2016; 7:377.

Hyde KL, Lerch J, Norton A, Forgeard M, Winner E, Evans AC, Schlaug G. Musical training shapes structural brain development. Journal of Neuroscience 2009; 29:3019-3025.

Ikeda K, Bekkers JM. Counting the number of releasable synaptic vesicles in a presynaptic terminal. Proceedings of the National Academy of Sciences of the USA 2008; 106:2945-2950.

Illes J. Neuroethics: Anticipating the Future. Oxford: Oxford University Press; 2017.

Ito M, Sakurai M, Tongroach P. Climbing fibre induced depression of both mossy fibre responsiveness and glutamate sensitivity of cerebellar Purkinje cells. Journal of Physiology 1982; 324:113-134.

Izquierdo I. A arte de esquecer. 2 ed. Rio de Janeiro: Vieira e Lent 2010; 135 pp.

Izquierdo I, Furini CRG, Myskiw JC. Fear memory. Physiological Reviews 2016; 96: 695-750.

Jardri R, Houfflin-Debarge V, Delion P, Pruvo JP, Thomas P, Pins D. Assessing fetal response to maternal speech using a noninvasive functional brain imaging technique. International Journal of Developmental Neuroscience 2012; 30:159-161.

Jiang J, Dai B, Peng D-L, Zhu C-Z, Liu L, Lu C-M. Neural synchronization during face-to-face communication. Journal of Neuroscience 2012; 32:16064-16069.

Jobard G, Crivello F, Tzourio-Mazoyer M. Evaluation of the dual route theory of reading: a metanalysis of 35 neuroimaging studies. Neuroimage 2003; 20:693-712.

Kanazawa H, Kawai M, Kinai T, Iwanaga K, Mima T, Heike T. Cortical muscle control of spontaneous movements in human neonates. European Journal of Neuroscience 2014; 40:2548-2553.

Kandel ER. The molecular biology of memory: cAMP, PKA, CRE, CREB-1, CREB-2, and CPEB. Molecular Brain 2012; 5:14.

Kandel ER, Schwartz JH, Jessell TM, Siegelbaum SA, Hudspeth AJ. Princípios de Neurociências. 5 ed. McGraw-Hill/Artmed; 2014.

Kang SH. Spaced repetition promotes efficient and effective learning: policy implications for instruction. Policy Insights from the Behavioral and Brain Sciences 2016; 3:12-19.

Kempermann G, Gast D, Kronenberg G, Yamaguchi M, Gage FH. Early determination and long-term persistence of adult-generated new neurons in the hippocampus of adult mice. Development 2003; 130:391-399.

Kim H. Differential neural activity in the recognition of old versus new events: an activation likelihood estimation meta-analysis. Human Brain Mapping 2013; 34:814-836.

Klingberg T. The Learning Brain. New York: Oxford University Press 2013; 179 pp.

Klingberg T. Childhood cognitive development as a skill. Trends in Cognitive Sciences 2014; 18:573-579.

Knudsen EI. Sensitive periods in the development of brain and behavior. Journal of Cognitive Neuroscience 2004; 16:1412-1425.

Konvalinka I, Roepstorff A. The two-brain approach: how can mutually interacting brains teach us something about social interaction? Frontiers in Human Neuroscience 2012; 6:215.

Kousta ST, Vigliocco G, Vinson DP, Andrews M, Del Campo E. The representation of abstract words: why emotion matters. Journal of Experimental Psychology. General 2011; 140:14-34.

Krueger F, McCabe K, Moll J, Kriegeskorte N, Zahn R, Strenziok M, Heinecke A, Grafman J. Neural correlates of trust. Proceedings of the National Academy of Sciences of the USA 2007; 104:20084-20089.

Kuhl PK. Brain mechanisms in early language acquisition. Neuron 2010; 67:713-727.

Kuhlen AK, Allefeld C, Haynes J-D. Content-specific coordination of listeners' to speakers' EEG during communication. Frontiers in Human Neuroscience 2012; 6:266.

Laeng B, Sirois S, Gredebäck G. Pupillometry. A window to the preconscious? Perspectives in Psychological Science 2012; 7:18-27.

Landhuis E. Big brain, big data. Nature 2017; 541:559-561.

LeBlanc JJ, Fagiolini M. Autism: A critical period disorder? Neural Plasticity 2011; 2011:921680.

Legrenzi P, Umiltà C. Neuromania. Oxford University Press, 2010; 120 pp.

Lent R. Cem Bilhões de Neurônios? 2 ed. Editora Atheneu, 2010; 765 pp.

Lent R, Buchweitz A, Mota MB. Ciência para Educação: Uma Ponte entre Dois Mundos. Editora Atheneu 2017; 271 pp.

Lichtman JE, Sanes JR. Ome sweet ome: what can the genome tell us about the connectome? Current Opinion in Neurobiology 2008; 18:346-353.

Liebenthal E, Silbersweig DA, Stern E. The language, tone and prosody of emotions: neural substrates and dynamics of spoken-word emotion perception. Frontiers in Neuroscience 2016; 10:506.

Lindenberger U, Li S, Gruber W, Muller V. Brains swinging in concert: cortical phase synchronization while playing guitar. BMC Neuroscience 2009; 10:22.

Liu N, Mok C, Witt E, Pradhan AH, Chen JE, Reiss AL. Inter-brain neural synchronization during cooperative Jenga game with face-to-face-communication. Frontiers in Human Neuroscience 2016; 10:82.

Liu T, Pelowski M. Clarifying the interaction types in two-person neuroscience research. Frontiers in Human Neuroscience 2014; 8:276.

Liu X, Ramirez S, Pang PT, Puryear CB, Govindarajan A, Deisseroth K, Tonegawa S. Optogenetic stimulation of a hippocampal engram activates fear memory recall. Nature 2012; 484:381-385.

Liu X, Ramirez S, Redondo RL, Tonegawa S. Identification and manipulation of memory engram cells. Cold Spring Harbor Symposia on Quantitative Biology 2014; 79:59-65.

Lombardo MV, Ashwin E, Auyeung B, Chakrabarti B, Taylor K, Hackett G, Bullmore ET, Baron-Cohen S. Fetal testosterone influences sexually dimorphic gray matter in the human brain. Journal of Neuroscience 2012; 32:674-680.

Louzada FM, Ribeiro STG. Sono, aprendizagem e sala de aula. Em: Ciência para Educação: uma ponte entre dois mundos. Lent R, Buchweitz A, Mota MB, orgs. Rio de Janeiro: Editora Atheneu 2017; 271 pp.

Luhmann HJ, Sinning A, Yang JW, Reyes-Puerta V, Stüttgen MC, Kirischuk S, Kilb W. Spontaneous neuronal activity in developing neocortical networks: from single cells to large-scale interactions. Frontiers in Neural Circuits 2016; 10:40.

Mampe B, Friederici AD, Christophe A, Wermke K. Newborns' cry melody is shaped by their native language. Current Biology 2009; 19:1994-1997.

Markram H, Muller E, Ramaswamy S, Reimann MW e 78 co-autores. Reconstruction and simulation of neocortical microcircuitry. Cell 2015; 163:456-492.

Marshall WA, Tanner JM. Variations in the pattern of pubertal changes in girls. Archives of Disease in Childhood 1969; 44:291-303.

Marshall WA, Tanner JM. Variations in the pattern of pubertal changes in boys. Archives of Disease in Childhood 1970; 45:13-23.

Maurer U, Brem S, Kranz F, Bucher K, Benz R, Halder P, Steinhausen HC, Brandeis D. Coarse neural tuning for print peaks when children learn to read. Neuroimage 2006; 33:749-758.

McCabe K, Houser D, Ryan L, Smith V, Trouard T. A functional imaging study of cooperation in two-person reciprocal exchange. Proceedings of the National Academy of Sciences of the USA 2001; 98:11832-11835.

Meider W. A picture is worth a thousand words: from advertising slogan to American proverb. Southern Folklore 1990; 47:207-225.

Meltzoff AN, Kuhl PK, Movellan J, Sejnowski TJ. Foundations for a new Science of Learning. Science 2009; 325:284-288.

Moon C, Cooper RP, Fifer WP. Two-day-olds prefer their native language. Infant Behavioral Developpment 1993; 16:495-500.

Montague PR, Berns GS, Cohen JD, McClure SM, Pagnoni G, Dhamala M, Wiest MC, Karpov I, King RD, Apple N, Fisher RE. Hyperscanning: simultaneous fMRI during linked social interactions. Neuroimage 2002; 16:1159-1164.

Moser M-B, Rowland DC, Moser EL. Place cells, grid cells, and memory. Cold Spring Harbor Perspectives in Biology 2015; 7(2):a021808.

Murty VP, Calabro F, Luna B. The role of experience in adolescent cognitive development: Integration of executive, memory, and mesolimbic systems. Neuroscience and Biobehavioral Reviews 2016; 70:46-58.

Nagy Z, Westerber H, Klingberg T. Maturation of white matter is associated with the development of cognitive functions during childhood. Journal of Cognitive Neuroscience 2004; 16:1227-1233.

Nakashiba T, Cushman J, Pelkey K, Renaudineau S, Buhl D, McHugh TJ., Rodriguez Barrera C, Chittajallu R, Iwamoto KS, McBain CJ, Fanselow MS, Tonegawa S. Young dentate granule cells mediate pattern separation whereas old granule cells facilitate pattern completion. Cell 2012; 149:188-201.

Nelson CA. Neural development and lifelong plasticity. Em: Nature and Nurture in Early Child Development (D.P. Keating, org.). Cambridge University Press 2011; 45-69.

Ninkovic J, Mori T, Götz M. Distinct modes of neuron addition in adult mouse neurogenesis. Journal of Neuroscience 2007; 27:10906-10911.

Oberheim NA, Wang X, Goldman S, Nedergaard M. Astrocytic complexity distinguishes the human brain. Trends in Neuroscience 2006; 29:547-553.

O'Keefe J, Dostrovsky J. The hippocampus as a spatial map. Preliminary evidence from unit activity in the freely-moving rat. Brain Research 1971; 34:171-175.

Oliveira RM, Lent R. O desenvolvimento da mente humana. Em: Ciência para Educação: uma ponte entre dois mundos. Lent R, Buchweitz A, Mota MB, orgs. Rio de Janeiro: Editora Atheneu 2017; 271 pp.

Opendak M, Gould E. Adult neurogenesis: a substrate for experience-dependent change. Trends in Cognitive Sciences 2015; 19:151-161.

Osaka N, Minamoto T, Yaoi K, Azuma M, Shimada YM, Osaka M. How two brains make one synchronized mind in the inferior frontal cortex: fNIRS-based hyperscanning during cooperative singing. Frontiers in Psychology 2015; 6:1811.

Palmer LM. Dendritic integration in pyramidal neurons during network activity and disease. Brain Research Bulletin 2014; 103:2-10.

Panayotis N, Karpova A, Kreutz MR, Fainzilber M. Macromolecular transport in synapse to nucleus communication. Trends in Neuroscience 2015; 38:108-116.

Pereira AC, Huddleston DE, Brickmann AM, Sosunov AA, Hen R, McKhann GM, Sloan R, Gage FH, Brown TR, Small SA. An in vivo correlate of exercise-induced neurogenesis in the adult dentate gyrus. Proceedings of the National Academy of Sciences of the USA 2006; 104:5638-5643.

Piaget J. O Nascimento da Inteligência na Criança (trad. Alvaro Cabral), Rio de Janeiro: Zahar Editores 1970; 387 pp.

Popa L, Selejan O, Scott A, Muresanu DF, Balea M, Rafila A. Reading beyond the glance: eye tracking in neurosciences. Neurological Sciences 2015; 36:683-688.

Rakic P. Limits of neurogenesis in primates. Science 1985; 227:1054-1056.

Rakic P, Yakovlev PI. Development of the corpus callosum and cavum septi in man. Journal of Comparative Neurology 1968; 132:45-72.

Raichle ME, MacLeod AM, Snyder AZ, Powers WJ, Gusnard DA, Shulman GL. A default mode of brain function. Proceedings of the National Academy of Sciences of the USA 2001; 98:676-682.

Raichle ME. The restless brain. Brain Connectivity 2011; 1:3-12.

Raichle ME. The brain's default mode network. Annual Review of Neuroscience 2015; 38:433-447.

Ramon y Cajal S. La fine structure des centres nerveux. Proceedings of the Royal Society London 1894; 55:444-468.

Rhodes RE, Rodriguez F, Shah P. Explaining the alluring influence of neuroscience information on scientific reasoning. Journal of Experimental Psychology: Learning, Memory and Cognition 2014; 40:1432-1440.

Ribeiro FM, Vieira LB, Pires RG, Olmo RP, Ferguson SS. Metabotropic glutamate receptors and neurodegenerative diseases. Pharmacological Research 2017; 115:179-191.

Ribeiro S. Sleep and plasticity. Pflugers Archiv – European Journal of Physiology 2012; 463:111-120.

Ritter SM, Strick M, Bos MW, van Baaren RB, Dijksterhuis A. Good morning creativity: task reactivation during sleep enhances beneficial effect of sleep on creative performance. Journal of Sleep Research 2012; 21:643-647.

Rock C, Apicella AJ. Callosal projections drive neuronal-specific responses in the mouse auditory cortex. Journal of Neuroscience 2015; 35:6703-6713.

Rockel AJ, Hiorns RW, Powell TP. The basic uniformity in structure of the neocortex. Brain 1980; 103:221-244.

Roediger HL. Applying cognitive psychology to education translational educational science. Psychological Science in the Public Interest 2013; 14:1-3.

Rose S. The Conscious Brain. New York, USA. Vintage Books 1976; 447 pp.

Salazar IL, Caldeira MV, Curcio M, Duarte CB. The role of proteases in hippocampal synaptic plasticity: Putting together small pieces of a complex puzzle. Neurochemical Research 2015; 41:156-182.

Sammler D, Kotz SA, Eckstein K, Ott DV, Friederici AD. Prosody meets syntax: the role of corpus callosum. Brain 2010; 133:2643-2655.

Saul RE, Sperry RW. Absence of commissurotomy symptoms with agenesis of the corpus callosum. Neurology 1968; 18:307.

Schikorski T, Stevens CF. Quantitative ultrastructural analysis of hippocampal excitatory synapses. Journal of Neuroscience 1997; 17:5858-5867.

Schultz SR, Copeland CS, Foust AJ, Quicke P, Schuck R. Advances in two photon scanning and scanless microscopy technologies for functional circuit imaging. Proceedings of the IEEE Institute of Electrical and Electronic Engineers 2017; 105:139-157.

Schulz KM, Molenda-Figueira HA, Sisk CL. Back to the future: the organizational-activational hypothesis adapted to puberty and adolescence. Hormones and Behavior 2009; 55:597-604.

Sekiguchi A, Yokoyama S, Kasahara S, Yomogida Y, Takeuchi H, Ogawa T, Taki Y, Niwa S, Kawashima R. Neural bases of a specific strategy for visuospatial processing in rugby players. Medicine and Science in Sports and Exercise 2011; 43:1857-1862.

Seshamani S, Blazejewska AI, Mckown S, Caucutt J, Dighe M, Gatenby C, Studholme C. Detecting default mode networks in utero by integrated 4D fMRI reconstruction and analysis. Human Brain Mapping 2016; 37:4158-4178.

Shen K, Misic B, Cipollini BN, Bezgin G, Buschkuehl M, Hutchinson RM, Jaeggi SM, Kross E, Peltier SJ, Everling S, Jonides J, McIntosh AR, Berman MG. Stable long--range interhemispheric coordination is supported by direct anatomical projections. Proceedings of the National Academy of Sciences of the USA 2015; 112:6473-6478.

Shirer WR, Ryali S, Rykhlevskaia E, Menon V, Greicius MD. Decoding subject-driven cognitive states with whole-brain connectivity patterns. Cerebral Cortex 2012; 22:158-165.

Sigman M. A Vida Secreta da Mente. Rio de Janeiro: Ed. Objetiva 2017; 283 pp.

Sigman M, Peña M, Goldin AP, Ribeiro S. Neuroscience and education: prime time to build the bridge. Nature Neuroscience 2014; 17:497-502.

Simões EL, Bramati I, Rodrigues E, Franzoi A, Moll J, Lent R, Tovar-Moll F. Functional expansion of sensorimotor representation and structural reorganization of callosal connections in lower limb amputees. Journal of Neuroscience 2012; 32:3211-3220.

Smith MA, Roediger HL, Karpicke JD. Covert retrieval practice benefits retention as much as overt retrieval practice. Journal of Experimental Psychology: Learning, Memory, and Cognition 2013; 39:1712-1725.

Smyser CD, Neil JJ. Use of resting-state functional MRI to study brain development and injury in neonates. Seminars in Perinatology 2015; 39:130-140.

Soares de Oliveira-Szejnfeld P, Levine D, Melo AS, Amorim MM, Batista AG, Chimelli L, Tanuri A, Aguiar RS, Malinger G, Ximenes R, Robertson R, Szejnfeld J, Tovar-Moll F. Congenital brain abnormalities and Zika virus: What the radiologist can expect to see prenatally and postnatally. Radiology 2016; 281:203-218.

Sorrells SF, Paredes MF, Cebrian-Silla A, Sandoval K, Qi D, Kelley KW, James D, Mayer S, Chang J, Auguste KI, Chang EF, Gutierrez AJ, Kriegstein AR, Mathern GW, Oldham MC, Huang EJ, Garcia-Verdugo JM, Yang Z, Alvarez-Buylla A. Human hippocampal neurogenesis drops sharply in children to undetectable levels in adults. Nature 2018; 555:377-381.

Souza e Silva E, Bruno G, Menasché DS. Máquinas que ensinam: o que aprendemos com elas? Em: Ciência para Educação: uma ponte entre dois mundos. Lent R, Buchweitz A, Mota MB, orgs. Rio de Janeiro: Editora Atheneu 2017; 271 pp.

Spalding KL, Bergmann O, Alkass K, Bernard S, Salehpour M, Huttner HB, Boström E, Westerlund I, Vial C, Buchholz BA, Possnert G, Mash DC, Druid H, Frisén J. Dynamics of hippocampal neurogenesis in adult humans. Cell 2013; 153:1219-1227.

Sperry RW. Hemisphere deconnection and unity in conscious awareness. American Psychologist 1968; 23:723-733.

Sporns O. Discovering the Human Connectome. Cambridge, USA. MIT Press 2012; 232 pp.

Steele CJ, Bailey JA, Zatorre RJ, Penhume VB. Early musical training and white-matter plasticity in the corpus callosum: Evidence for a sensitive period. Journal of Neuroscience 2013; 33:1282-1290.

Stephens GJ, Silbert LJ, Hasson U. Speaker-listener neural coupling underlies successful communication. Proceedings of the National Academy of Sciences of the USA 2010; 107:14425-14430.

Stokes DE. O Quadrante de Pasteur – A Ciência Básica e a Inovação Tecnológica (trad. J. E. Maiorino). Ed. da Unicamp 2005; 247 pp.

Sweatt JD. Neural plasticity and behavior – sixty years of conceptual advances. Journal of Neurochemistry 2016; 139(suppl. 2):179-199.

Tao Y, Liu B, Zhang X, Li J, Qin W, Yu W, Jiang T. The structural connectivity pattern of the default mode network and its association with memory and anxiety. Frontiers in Neuroanatomy 2015; 9:152.

Tovar-Moll F, Moll J, de Oliveira-Souza R, Bramati I, Andreiuolo PA, Lent R. Neuroplasticity in human callosal dysgenesis: a diffusion tensor imaging study. Cerebral Cortex 2007; 17:531-541.

Tovar-Moll F, Monteiro M, Andrade J, Bramati IE, Vianna-Barbosa R, Marins T, Rodrigues E, Dantas N, Behrens TE, de Oliveira-Souza R, Moll J, Lent R. Structural and functional brain rewiring clarifies preserved interhemispheric transfer in humans born without the corpus callosum. Proceedings of the National Academy of Sciences of the USA 2014; 111:7843-7848.

Tovar-Moll F, Lent R. Neuroplasticidade: O cérebro em constante mudança. Em: Ciência para Educação: Uma Ponte entre Dois Mundos. Lent R, Buchweitz A, Mota MB, orgs. Rio de Janeiro: Editora Atheneu 2017; 271 pp.

van den Heuvel MP, Sporns O. Rich-club organization of the human connectome. Journal of Neuroscience 2011; 31:15775-15786.

Van Praag H, Kempremann G, Gage FH. Running increases cell proliferation and neurogenesis in the adult mouse dentate gyrus. Nature Neuroscience 1999; 2:266-270.

Vianna-Barbosa RJ, Bahia CP, Sanabio A, Miranda K, Lent R, Tovar-Moll F. Myelination of callosal axons is hampered by early and late forelimb amputation in rats; Submetido a publicação, 2018..

Vitalle MSS. Sistema neuro-hormonal da adolescência. Em: Neurociências do Abuso de Drogas na Adolescência. D. De Micheli e cols., orgs. São Paulo: Editora Atheneu 2014; 3-10.

Vogel AC, Church JA, Power JD, Miezin FM, Petersen SE, Schlaggar BL. Functional network architecture of reading-related regions across development. Brain and Language 2013; 125:231-243.

Vogel AC, Petersen SE, Schlaggar BF. The VWFA: it's not just for words anymore. Frontiers in Human Neuroscience 2014; 8:88.

Vogeley K. Two social brains: neural mechanisms of intersubjectivity. Philosophical Transactions of the Royal Society London (Biological Sciences) 2017; 372: 20160245.

Vollmann H, Ragert P, Conde V, Villringer A, Classen J, Witte OW, Steele CJ. Instrument specific use-dependent plasticity shapes the anatomical properties of the corpus callosum: a comparison between musicians and non-musicians. Frontiers in Behavioral Neuroscience 2014; 8:245.

Wagner U, Gais S, Haider H, Verleger R, Born J. Sleep inspires insight. Nature 2004; 427:352-355.

Wammes JD, Meade ME, Fernandes MA. The drawing effect: evidence for reliable and robust memory benefits in free recall. Quarterly Journal of Experimental Psychology 2016; 69:1752-1776.

Wamsley EJ, Tucker MA, Payne JD, Stickgold R. A brief nap is beneficial for human route-learning: The role of navigation experience and EEG spectral power. Learning and Memory 2010; 17:332-336.

Weinstein Y, Madan CR, Sumeracki MA. Teaching the science of learning. Cognitive Research: Principles and Implications 2018; 3:2.

Weisberg DS, Keil FC, Goodstein J, Rawson E, Gray JR. The seductive allure of neuroscience explanations. Journal of Cognitive Neuroscience 2008; 20:470-477.

Wernicke K. De aphasische Symptomencomplex. Eine psychologische Studie auf anatomischer Basis. M. Crohn und Weigert, Breslau, Alemanha; 1874.

Westermarck EA. The History of Human Marriage. New York: Macmillan & Co., 1891; 670 pp.

Whitehead LW, McArthur K, Geoghegan ND, Rogers KL. The reinvention of twentieth century microscopy for three-dimensional imaging. Immunology and Cell Biology 2017; 95:520-524.

Wilson EO. Consilience. The Unity of Knowledge. New York, USA: Vintage Books 1999; 368 pp.

Wolf AP, Huang C-s. Marriage and Adoption in China, 1845-1945. Stanford University Press 1980; 426 pp.

Woolf SH. The meaning of translational research and why it matters. Journal of the American Medical Association (JAMA) 2008; 299:211-213.

Yeo BT, Krienen FM, Sepulcre J, Sabuncu MR, Lashkari D, Hollinshead M, Roffman JL, Smoller JW, Zöllei L, Polimeni JR, Fischl B, Liu H, Buckner RL. The organization of the human cerebral cortex estimated by intrinsic functional connectivity. Journal of Neurophysiology 2011; 106:1125-1165.

Yuste R. Dendritic spines and distributed circuits. Neuron 2011; 71:772-781.

Zhao TC, Kuhl PK. Effects of enriched auditory experience on infants' speech perception during the first year of life. Prospects (Unesco) 2016; 46:235-247.

# ÍNDICE

## A

Ácido gama-aminobutírico (GABA), 97
Adolescência, 83
Alarmes falsos, 65
Androgênios, 84
Aprendizagem, 13, 14, 51
  distribuída, 116
Área(s)
  cerebrais, 51, 54
  cingulada intermédia, 65
  de Broca, 57, 58, 59, 63
  de expressão da fala, 57
  de reconhecimento visual da forma das
    palavras, 61
  de Wernicke, 58
Arestas 1, 87
Ativação de repetição, 65
Axônio, 24, 41

## B

Biologia
  celular, 6
  do desenvolvimento, 6
  molecular, 6
Bowers, Jeffrey, 115
Broca, Pierre-Paul, 57

## C

*Caenorhabditis elegans*, 92
Caminho, 87
Campo local do neurônio, 44
Células
  de local, 44
  de quadrícula, 44
  gliais, 45

Células-tronco de pluripotência induzida,
  73
Cerebelo, 82
Cérebro
  aprendiz, 118
  social, 106, 107, 108
Ciência
  da informação e da computação, 6
  para educação, 3, 6
Circuitos
  aprendizes, 41, 43
  de longa distância, 95
Codificação digital, 27
Código
  analógico, 23
  digital, 23
Complexo
  de Édipo, 18
  de Electra, 18
Condicionamento clássico, 31, 33
Condutância elétrica da pele das mãos,
  54
Conectoma, 87
  de macroescala, 89
  de mesoescala, 89
  de microescala, 89
  humano, 92
  mutável, 95
Conectores, 87
Consciência, 16, 73
Consiliência, 17, 18
Controle executivo, 59
Corpo
  caloso, 96, 97
  estriado, 82

**134** ÍNDICE

Córtex
  auditivo primário, 58
  cerebral, 82
  cingulado anterior, 59
  orbitofrontal, 59
  parietal
    lateral, 65
    medial, 65
  somestésico, 42
  visual, 42

# D

Dehaene, Stanislas, 66
Dendritos, 5, 41
Depressão de longa duração, 34
Desenvolvimento
  da sintaxe, 79
  no útero, 73
Diâmetro pupilar, 54
Disconectoma, 100
Disgenesia calosa, 99
Dupla codificação, 118

# E

Ectoderma, 73
Educação, 14
Efeito
  de fascinação sedutora, 9
  do sono, 116
  organizador, 83
  Westermarck, 18, 19
Elaboração, 117
Eletroencefalograma, 52
Encéfalo, 74
Espectroscopia funcional de
  infravermelho próximo, 52
Estrogênios, 84
Estudos
  longitudinais, 69
  transversais, 69
Evitação do incesto, 19
Exemplos concretos, 118
Exercício físico, 116
Explosão hormonal da adolescência,
  84

# F

Fala, 97
Feixe arqueado, 57
Fenômenos de retenção de informação,
  34
Fibras calosas, 97
Fonéticas, 58
Freire, Paulo, 15
Freud, Sigmund, 18
Funções neurais básicas, 95

# G

Genes-repórteres, 45
Giro angular, 68
  dorsal, 65
Grafman, Jordan, 107, 108
Grafos, 87
Grupo-controle, 69

# H

Habituação, 31, 32
Hemisfério cerebral direito, 99
Hiperescaneamento, 108
Hipotálamo, 84
Hormônios hipofisários, 84

# I

Impulsos nervosos, 23, 28, 51
Infância, 77
Interação recíproca entre aprendiz e
  professor, 15
Interações sociais, 105
Intercalagem, 117

# K

Kandel, Eric R., 31

# L

Léxicons
  semânticos, 58
  sintáticos, 58
Linguagem oral em rede, 57

# M

Mapa das conexões neurais, 88
Matrizes de conectividade, 93
McDermott, Kathleen, 63

Mecanismos da memória, 43
Membrana
  pós-sináptica, 30
  pré-sináptica, 23, 30
Memória(s), 13, 51
  explícita, 34
  sináptica, 30
  sintáticas, 58
Mesencéfalo, 74, 99
Microcircuitos neurais, 51
Modelo clássico da linguagem, 58
Módulos, 87, 95
Mórula, 73
Movimentos oculares, 54

## N

Neurociência, 6, 7, 9
  educacional, 105
Neuroeconomia, 7
Neuroeducação, 7
Neurogênese, 43
Neuroimagem do tensor de difusão, 92
Neuromarketing, 7
Neuromodas, 7
Neurônios, 28, 76
  de tipo piramidal, 43
  inibitórios, 43, 81
Neuroplasticidade, 13, 15, 17, 19
  de circuitos, 45
Neuropropaganda, 7
Neurotransmissores, 28
Nível
  de longa distância, 19
  dos microcircuitos, 19
  molecular/celular, 19
  psicológico, 20
  sináptico, 19
  sistêmico, 19
  social, 20
  transpessoal, 19
Nós, 87
Núcleo caudado, 68

## O

Omissões, 65
Opérculo frontal, 57, 63
Optogenética, 45

## P

Pasteur, Louis, 3, 4
Período(s)
  sensível, 77, 79
   da adolescência, 84
  críticos, 77
Pesquisa
  inspirada pelo uso, 3
  translacional, 3, 115
Piaget, Jean, 80
Plasticidade, 116
  de longa distância, 7, 51, 95, 101
  neural, 16
Potenciação de longa duração, 34
Potencial de ação, 23, 25, 28
Pré-cúneo, 65
Processamentos ortográfico, fonológico,
  sintático e semântico, 62
Projeto Cérebro Azul, 90
Prosencéfalo, 74
  ventral, 99
Prosódia, 97
Psicologia cognitiva, 6, 116
Pupilometria, 54

## Q

Quadrante de Pasteur, 115
*Quarks*, 16

## R

Rastreamento ocular, 54, 112
Rede(s), 95
  cerebrais, 87
  da linguagem oral, 58, 60
  da memória, 63
  de emoção compartilhada, 106
  de modo padrão, 55
  esculpidas pela educação, 65
  neural da leitura, 61
  parietal da memória, 63
Região
  temporal inferior, 61
  temporoparieto-occipital, 9, 57
Registro eletrodérmico, 54
Relembrança, 117

Resolução
espacial, 52
temporal, 52
Ressonância magnética funcional, 52
Rombencéfalo, 74
Rose, Steven, 16, 118

## S

Sensibilização, 31, 33
Silogismo disjuntivo, 79, 80
Sinal BOLD, 52
Sinapse, 33
Síndrome do membro fantasma, 98
Stephens, Greg, 106
Stokes, Donald, 3, 115
Substância branca, 82
Superego, 19

## T

Tálamo, 82
Tubo neural, 74

## V

Vírus Zika, 74

## W

Wernicke, Karl, 57
Westermarck, Edward A., 18
Wilson, Edward O., 17, 19

## Z

Zigoto, 73
Zona de disparo, 24